その常識は本当か
これだけは知っておきたい

実用オーディオ学
（増補）

アース，CDとハイレゾ，室内音響，
ケーブル，アナログレコード，計測

岡野 邦彦 著

コロナ社

まえがき

　音響学とオーディオは，非常に深い関連はありますが，同じではありません。オーディオは趣味性が高い世界なので，必ずしも物理学に支配される必要はなく，個人が良い音と感じればそれでよいし，第三者による再現性さえ要求されないこともありましょう。そこが学問としての音響学と異なります。だから，オーディオを探求することは，オーディオ学よりオーディオ道の名がふさわしいかもしれません。

　例えば，部屋の照明を変えたら音が良くなったと感じたとしましょう。それはそれでよいと思います。音響学的，物理学的には考えにくいですが，オーディオ道としてはよくあることですし，否定される必要は何もありません。実は，昨今の科学では，このような人の感じ方も科学的に解析することは可能になっていて，むしろ重視されつつあるのですが，そんな難しいことを言わず，「趣味としてのオーディオ道は科学だけでは語れない」ということにしておいても別に構わないのです。

　長年，趣味としてオーディオ道を楽しんできた筆者も，もちろんそれでよいと思っています。他人が良いと思う音に異論をはさむ気持ちはありませんし，私自身が良いと思った音が，他人にも良いとは限らないことはよく理解しています。しかし，それでも，私が科学者であるがゆえ，時としてオーディオに関しても，こう思うことがあるのです。「それは論理性がおかしくないか，人を惑わせていないか」と。

　オーディオ道を楽しむのに必ずしも科学はいりませんが，他人にとっては一般性のない経験則に支配されたり，未確認なことを確認済と錯覚したりしてしまうことで，もっと近道があったのに，遠回りしてしまうなら，それは「趣味だから問題ない」とばかりは言えないのではないでしょうか。

まえがき

科学的なオーディオというと，人に聞こえない 20,000 Hz（20 kHz）以上を再生するハイレゾは意味がない，とか，高価なオーディオ機器でも数値特性は同じだから，音が良いと思うのは錯覚であり科学的ではない，などの論調を想像されてしまうかもしれません。しかし，本書の趣旨はそういうものではないことを最初にお断りしておきたいと思います。安くても良いものはあるにしても，高価な機器でなければ絶対に聴けない驚愕の音も確かにあるのです。オーディオは割とお金のかかる趣味だと言わざるをえません。どうしてもそれなりの資金の投入が必要になってしまう。そこで，限られた資金と時間で，効率的に良い音を手にするには，科学的発想は，少なくとも「便利」だ，というのが本書の趣旨なのです。

筆者の提案は，論理に沿った「科学の作法」の導入です。例えば，音が変わったなら，科学的な理由を考えてみましょう。その変化は条件を変えても再現できるか，あるいはできないか，も重要です。ある説について，「それは迷信だ」と思う前に，「本当なのだとしたらなぜか」と考えてみるのも大切です。頭から否定しないのも科学の作法だと思います。昨今は測定器も安くなりましたし，できれば測定もしてみましょう。仮説でもよいので，理由の説明を考えるうちに，科学的思考が身についていくように思います。

本書が，みなさんがより効率よくオーディオを改善していくための一助にでもなれば，大変にうれしく思います。

最後に，参考として，筆者のオーディオシステムの概要を図示しておきました。本書は，これらのシステムを紹介するのが目的ではないので，個々の説明はしませんが，どのようなオーディオ感を持った人物かは，その装置構成を見ればある程度わかると思いますし，本書の読者ならきっとそこを知りたいと思うので，機材と接続方法だけは示しておくことにしました。アナログディスク，CD, SACD, ハイレゾファイルの音源が聞けます。アナログディスクと SACD も A/D コンバーターでいったんデジタル化していて，上記の4音源はすべて，デジタルイコライザーと D/A コンバーターを通した同じ経路で聞くという，かなり特殊なシステムになっています。接地の仕方も工夫していますが，これ

まえがき　iii

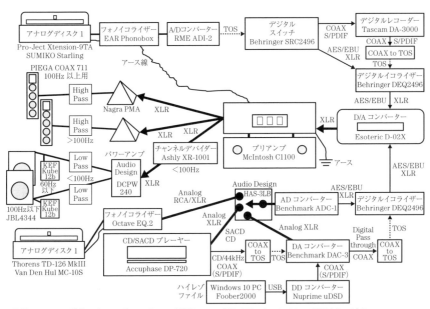

筆者のオーディオシステム概要

については本文でも解説したいと思います。

2018年11月

岡野邦彦

増補版まえがき

　初版の出版から5年が経過しましたが，オーディオに関連する普遍的で科学的な解説を中心としていたため，古くなってしまった内容は特にないと思っています。一方，執筆当時と異なる状況は，アナログレコードが急に注目を集め始めたことです。アナログレコードは，デジタル音源とはまったく異なる科学が背景にあります。しかも，調整などに活かすことができる点で，その科学を知ることの意味は大きいと言えましょう。それに加えて，アナログレコードの技術的な誤解も少なくないことも感じています。そこで，本増補版でアナログレコードの章を追加するにあたり，感覚的なアナログの魅力を伝えるのではなく，関連する科学，技術，根拠のある正しい調整法などを正確に伝える情報を中心に書き加えることで，本書の役割をさらに広げようと思いました。これが増補版の目的です。筆者は，アナログレコード関連の機材をずっと愛用してきました。音質やノイズが懐かしいなどというノスタルジーではなく，調整次第で本当に良い音にできます。そして，一般に信じられているほどノイズは目立ちません。本増補版では，それを実現するための方法も解説しています。

　アナログレコードプレーヤーはアースの取り方が例外的なので，第1章には脚注を追記し，レコードプレーヤーのアースについて第6章で解説しています。なお，第7章には測定機材も一つ追加しました。

　読者の皆様に，本増補版を通してオーディオの楽しさをさらに知ってもらえれば，筆者としてとても嬉しく思います。

2024年7月

目　　次

1. アースと電源配線の科学

1.1　アースとは何だろう ……………………………………………………… 1
1.2　アースに関する Q&A ……………………………………………………… 2
1.3　信号線のアースと電源のアース ………………………………………… 5
　　1.3.1　つなぐなら基本は一点接地 ……………………………………… 5
　　1.3.2　アースと信号線の両方がループを形成する例 ………………… 8
　　1.3.3　電源プラグのアースはつなぐべきか …………………………… 11
　　1.3.4　電源配線はタコ足配線がよいかも ……………………………… 16
　　1.3.5　家庭用交流電源の屋内配線 ……………………………………… 18
1.4　人間を接地する …………………………………………………………… 19
1.5　アースと電源配線のまとめ ……………………………………………… 21

2. CD とハイレゾの科学

2.1　CD とハイレゾとは ……………………………………………………… 22
2.2　CD とハイレゾに関する Q&A …………………………………………… 23
2.3　CD に関する不可解な「常識」 ………………………………………… 24
2.4　サンプリングレートと信号の再現精度 ………………………………… 26
2.5　D/A コンバーターの波形は可聴域でも意外と異なる ………………… 30
2.6　サンプリング定理との関係 ……………………………………………… 36
2.7　CD のエラー訂正への誤解 ……………………………………………… 40
2.8　CD のパーフェクトリッピング ………………………………………… 41
2.9　CD のエラー訂正の原理 ………………………………………………… 44

2.9.1	ビット，符号，フレーム	44
2.9.2	エラー訂正のステップ	45
2.9.3	エラー訂正のイメージ	46
2.9.4	再生プロセス	48
2.9.5	読み出しドライブによるエラー	51
2.10	CDとハイレゾのまとめ	52

3. SACDの科学と高音質の秘密

3.1	SACDとDSD	54
3.2	SACDとDSDに関するQ&A	54
3.3	1ビットDSDによるA/D変換の概念	55
3.4	なぜSACDは良い音なのか	58
3.5	SACDとDSDのまとめ	62

4. 室内音響の科学

4.1	音響調整が必要なわけ	63
4.2	室内音響に関するQ&A	64
4.3	定在波の特性	65
4.4	補正してもよい節といけない節	71
4.5	スピーカー配置や聴取位置による周波数特性変化	76
4.6	周波数特性の測定方法と測定機材	84
4.7	イコライザーの種類	87
4.8	イコライザーの接続	92
4.9	共鳴ピークの除去	95
4.10	オーディオにおけるdBの話	97
4.10.1	dBの定義	97
4.10.2	音圧を考えるときのdB	99
4.10.3	アンプ類の入出力や増幅率（ゲイン）を考えるときのdB	99

4.11	ダイナミックイコライザーの効用	101
	4.11.1	音楽鑑賞中に聞こえるダイナミックレンジ	101
	4.11.2	写真の世界ではダイナミックレンジ調整は常識	102
	4.11.3	聴感上のダイナミックレンジ拡大	104
4.12	スピーカーグリルによる特性変化の実測	106
4.13	室内音響のまとめ	109

5. 接続ケーブルの科学

5.1	接続ケーブルの役割	110
5.2	接続ケーブルに関する Q&A	110
5.3	インピーダンスとは	111
5.4	接続ケーブルの種類と特徴	114
5.5	アナログ接続のインピーダンス	119
5.6	デジタル接続のインピーダンス	120
5.7	光デジタルケーブル	123
5.8	デジタル接続での信号ロスと補間の可能性	126
5.9	接続ケーブルのまとめ	127

6. アナログレコードの科学

6.1	レコードに関する Q&A	128
6.2	レコード再生の原理	128
	6.2.1 音溝の構造	129
	6.2.2 カートリッジの構造	130
	6.2.3 フォノアンプの周波数特性（RIAA 規格）	131
	6.2.4 レコード針のいろいろな形状	132
6.3	レコードプレーヤーのアース	133
6.4	トーンアームの形状	134
6.5	インサイドフォースの力学	136

6.5.1　インサイドフォースの発生原理 ……………………………… 136
　　6.5.2　インサイドフォースキャンセラー ………………………… 138
　　6.5.3　インサイドフォースは針の形状で変わる ………………… 139
6.6　カートリッジ傾きの調整と特性変化 ……………………………… 140
　　6.6.1　カートリッジのアジマスとは ………………………………… 140
　　6.6.2　垂直アジマスの調整とその効果 …………………………… 143
6.7　レコードのダスト対策 ………………………………………………… 146
6.8　フォノケーブルで音は変わる？ …………………………………… 148
6.9　アナログレコードの科学のまとめ ………………………………… 148

7. あると役立つ測定機材

7.1　リアルタイムアナライザー（RTA） ………………………………… 149
7.2　マルチチャンネル　オシロスコープ ……………………………… 150
7.3　赤外線温度計 ………………………………………………………… 151
7.4　レーザー式精密距離計 ……………………………………………… 152
7.5　非接触電流計 ………………………………………………………… 152

参　考　文　献 ……………………………………………………………… 154
あ　と　が　き ……………………………………………………………… 155
索　　　　引 ………………………………………………………………… 156

1. アースと電源配線の科学

1.1 アースとは何だろう

　オーディオ機材を買って最初にしなければならないのは，機材同士の信号線の接続と，電源の配線だろう。そこで，まず電源とそれに伴うアースを，科学の作法に沿って考えていくことにしよう。

　アース（Earth）とは英語で地球のことだ。地球はあまりに大きく，どんなに電流が流れ込んでも，どんどん飲み込むことができる巨大なコンデンサーなので，無限に電流を吸い込む「絶対的なゼロ電位点」と考えることができる。地面って電気が流れるの？と思う方がいらっしゃるかもしれないが，そう，地面は電気がよく流れるのだ。実際に，長い金属棒を地面に打ち込んでアース線を作ることができる。

　オーディオにおいて「機材をアースにつなぐ」と言うときは，二種類の場合がある。一つは機材間のアース端子同士をつなぐことで機材間の基準電位をそろえること。同軸ケーブルで信号線をつなげば，機材間のアースも自動的につながると言える。

　もう一つは，機材を本当のアース（地球，つまり地面）につなぐことだ。部屋にアース端子が出ているなら，それがこの本当のアースにあたる。洗濯機用の壁コンセントなどには必ずアース端子がついているだろう。電気工事が正しくなされているのは前提だが，ここにつなげば，正真正銘，アースは地球につながり，その電位はゼロボルトになる。

　以下では，この正しく配線された本当のアース接続用端子（地球につながっている端子）のことを「接地端子」，そこにつなぐことを「接地」と呼び，アンプなど信号線のアース同士をつなぐこととは，「アース同士をつなぐ」と呼

んで,区別することにしよう。

1.2 アースに関するQ&A

Q:コンセントが普通の2ピンのAC100Vプラグ用で,接地端子がないのですが,オーディオが聴けませんか。

A:接地端子が壁になくても,そのままコンセントに2P電源プラグ(普通のACプラグ)を接続し,アース線は無視して聴いていて大丈夫です。3P電源プラグ(アースピンがある米国仕様のACプラグ,図1.1)の場合には,3Pを2Pに変換するアダプターを使って2Pに変換し(図1.2),コンセントにつなぎます。アダプターから出ているアース線は無視しておいて大丈夫です。

図1.1 3P電源プラグ　　　　図1.2 2P/3P変換アダプター

機材を正しく接地すればノイズに強くなることがあるけれど,接地しないと聴けないわけではありません。正しい接地の仕方は,後で説明しますが,間違った接地の仕方をするよりは,接地をしないほうがましです。だから,よくわからなければ,接地につながなくてよいのです。

Q:オーディオ用アースをひくにはどうすればよいですか。

A:戸建てなら電気工事業者に頼んで接地端子を作ってもらうことができます。既存のもの以外にオーディオ用に新たに接地端子を作ることもできるでしょう。集合住宅でも必ず接地端子はあるはずです。例えば,洗濯機用コン

セントとか，エアコン用コンセントなどには接地端子があります。ただし，集合住宅の場合，他人がどんな接続をしているか皆目わからない点がすこし心配です。アース線を接地端子につながずに使って支障がなければ，そのままのほうがよいでしょう。なお，接地端子を作る場合にも，素人が勝手に配線を変えるのは違法なので，必ず業者に頼みましょう。

> Q：海外製の機材は 3P 電源プラグが付いています。この 3P の中央のアース端子は，必ず接地端子につなぐ配線になっていたほうがよいですか。

> Q：アース端子が背面にあるオーディオ機器があります。これらは接地端子につないだほうがよいですか。

A：機材のアース端子は，接地端子につないだほうがよい場合，つないではいけない場合，どちらでもよい場合，の三つの場合があります。その判定方法は，以降に説明しますが，よくわからない場合の推奨の選択肢は以下です。

- 部屋に接地端子がある場合：　戸建てなら，「プリアンプまたはプリメインアンプのみ」の「3P 電源プラグのアース」または「機材背面のアース端子」の「どちらかのみ」を接地点につなぐ。他の機材は接地点に何もつながないこと。集合住宅なら，ビンテージオーディオのアースのみをつなぎ，その他はつながないこと。
- 部屋に接地端子がない場合：　3P 電源プラグのアース端子も，機材背面のアース端子も，とにかく何もつなぎません。

> Q：私の部屋には接地端子があります。せっかくあるので，すべての機材のアース端子や，3P 電源プラグのアース端子をすべて接地端子に接続しました。これは正しいですか。

A：かなり高い確率で間違っています。前述のとおり，機材のアース端子は，接地端子につないだほうがよい場合，つないではいけない場合，どちらでもよい場合，の三つの場合があります。その区別をつける方法は，後で説明し

ますが，もし，よくわからなければ，間違った接続をするよりは，まったく接地端子につながないほうがましです。

> Q：たこ足配線はいけないと聞くので，部屋中のいろいろな場所のコンセントを使って，各機器にばらばらに配線しています。これは正しいでしょうか。

A：大変ノイズに弱い配電です。容量を超えない範囲で，1か所またはできるだけ近い位置のコンセントから配電したほうがよいと思います。

表 1.1 は，アースの接地端子への接続可否について，結論だけまとめたものです。その理由は，1.3 節以降をご覧ください。機材から電源線以外は外し，図 1.3 のように 3P 電源プラグのアースと信号線の外側のアースの間の抵抗値をテスターで測ることで表に沿って判断できます。

表 1.1 アースの接地端子への接続可否[†]

テスターで測った 3P 電源プラグと信号線アースの間の抵抗値	3P 電源プラグ中央端子（アース）の接地端子への接続可否（あくまでノイズの視点から）
テスターがないので測定できない	→わからないならつながないことを推奨
集合住宅である	→ビンテージ品以外はつながないのが無難
以下は　戸建の場合	
プリアンプまたはプリメインアンプ　導通あり（ほぼゼロオーム）	→つないだほうがよい
プリアンプ，プリメインアンプ以外　導通あり（ほぼゼロオーム）	→つながないほうがよい（ビンテージ品はつなぐ）
導通なし（抵抗値が無限）	→どちらでもよい（ビンテージ品はつなぐ）
導通わずかにあり（1 メガオーム以上）	→どちらでもよい（ビンテージ品はつなぐ）

[†] アナログレコードプレーヤーのアース端子は，必ずアンプのアース端子に繋ぐ必要がある。これについては第 6 章を参照されたい。

1.3 信号線のアースと電源のアース   5

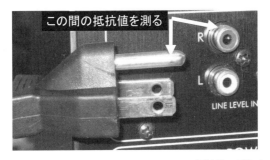

図 1.3 筐体アースと信号回路アース間の抵抗値の測り方

1.3 信号線のアースと電源のアース

1.3.1 つなぐなら基本は一点接地

　接地端子へのアース線の接続は，漏電時に感電しないためには非常に重要である。一方，オーディオにおけるアースは，感電防止というよりは，ノイズ防止の役割が大きい。感電防止なら，とにかく触りそうな機材は接地しておくほうが安全だが，ノイズ制御の視点でいうと，接地につなげばつなぐほどノイズが減るというものではなく，間違った接地端子への配線をすれば，かえってノイズは増える。一方，集合住宅の場合には，ちょっと別の心配がある。部屋に出ている接地端子（洗濯機用のコンセントなど）は，感電防止という意味では間違いのない接地がなされていると思うが，他の家でどんな使い方をしているかまったくわからないのが，オーディオ用としてはいささか不安だ。非常に大きなノイズを流してしまっていないとも言い切れない。その場合でもつないで危険なことなどはないが，オーディオのノイズの視点では，つながないほうが無難なこともありえる。

　まず解説を始める前に，**図 1.4** におけるアースの定義を決めておく。図中に接地点の記号もあるので覚えてほしい。

　機材には筐体があり，その中に回路がある。回路のアースは，信号線のアース，すなわちラインケーブル（同軸型のシールド線）の外側線につながっている。筐体のアースは，もし筐体の裏パネルのアース端子があれば，それには間

6   1. アースと電源配線の科学

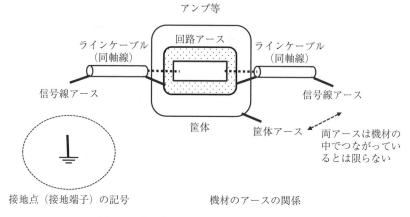

図1.4　機材内のアースの関係と接地点の記号

違いなくつながっている。3P電源プラグの真ん中につながっていることもある。ここで「こともある」と書いた点に注意。国産機には，本体の電源コード受け口が3P型ソケットになっていても，中央のアースピンがない，あるいは，ピンはあっても中央のアース端子には何もつながっていない（筐体もつながっていない）ただのダミーであることもあるので注意がいる。

　筐体のアースや，海外製品にある電源ケーブルにあるアース（3P電源プラグの真ん中）については，後で考えることにし，いまは，回路のアースだけ考えていく。

　オーディオのノイズを減らすという視点での正しい接地へのつなぎ方は，とにかく「一点接地」である。すなわち，機器同士のアースは相互につながっているわけだが，その線が地面に接地されるのは一点のみ，つまり，部屋の接地端子には一点でつなぐ，ということだ。図1.5を見てほしい。

　この例では，プリアンプの回路アースだけが接地されている。正しく一点接地が実現しているわけである。

　一方，図1.6のように，全機材のアース線を接地した場合を考える。感電防止ならこれも悪くないのだが，この場合，図のようにアース線が取り囲んだ大きな面積が現れる。これを「アースループができる」と言う。

1.3 信号線のアースと電源のアース　　　7

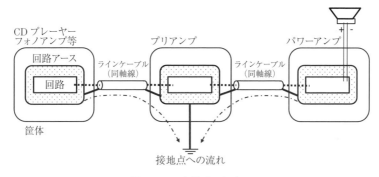

図 1.5　一点接地の概念図

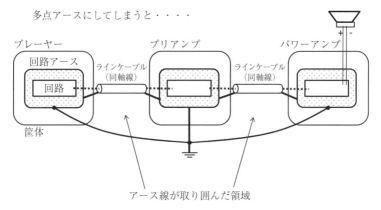

図 1.6　全機材の回路アースを接地した場合

　この囲まれた面積内に大きな電磁場が入ってくると，ノイズがアース線に乗る。電磁誘導の法則だ。ノイズの大きさは面積に比例するから，このアース線が取り囲む面積を最少に（またはゼロに）するというのが一点接地の考え方だ。
　実は，アース線に多少のノイズが乗っても通常は問題ないが，雷などで大きなパルス性のノイズが入ると，回路に影響を及ぼし，信号線にまでノイズが乗ることがある。
　アナログ時代には，プチっという音が乗る程度のことですんでいたが，デジタル機器ではデジタルレベルで最大音量の大きなノイズが入ることがありえる。そのため，敏感なデジタル機材だと，わずかなノイズでも安全装置が働い

て音をミュート（消音）してしまうことがある。そのような現象が頻繁に発生している方は，一点接地になっているか，もう一度見直してみることをお勧めする。

多数の点で接地されていることを多点接地という。多点接地になってしまうくらいなら，いっそのこと，接地に配線せず，機材同士の信号線（同軸のアース線）同士だけ接続して聞いているほうが，ノイズが少ない可能性がある。それゆえ，アース端子の接続が必須のフォノイコライザーアンプを除き，国産のオーディオ機器の多くにはアース端子がないし，マニュアルにも「アースにつないでください」と書いていないことが多い。

1.3.2　アースと信号線の両方がループを形成する例

前項では，アース線のループだったが，アースに加えて信号線までもが，はからずもループを形成してしまっていることもありえる。録音機器（レコーダー）が入っている場合や，一つの機材から2か所に配線している時には要注意だ。

図1.7にはレコーダーが入っている場合のループ例を示す。プレーヤーからはプリアンプに信号が行くと同時に，レコーダーにも信号線が行く。そのレコーダーからプリアンプに出力が行っていれば，図のように，プレーヤー，レコーダー，プリアンプで取り囲む巨大なループができることになる。やむをえ

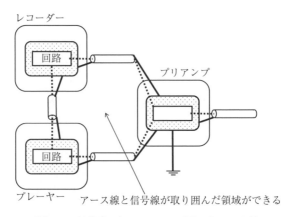

図1.7　信号系にもアースループができている例

ないこともあるが，意識して取り囲む面積を最小にする努力をすることはできる。例えば，図 1.8 のように，レコーダーへの入力を，プレーヤーからでなく，プリアンプの録音出力から入れ，入・出力線が大きくばらけないようにまとめて配線しておけば，取り囲む面積は最小となる。

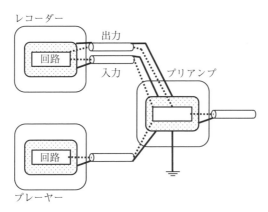

図 1.8　アースループを最小化する入出力系の配線例

なお，一本以外のアースを片方のプラグの根元で切っておくという方法もあるのだが（文献 7）に大変わかりやすい解説がある），ラインケーブルを自作する人は今では少ないと思うので，ここではよほど困ったときの最後の対策としておきたい。

　もし，レコーダーなどへの接続がデジタル接続なのであれば，光デジタルケーブルをあえて使って，アースの接続を切ることは有効な手段だ。図 1.9 にその例を示す。

　光によって信号はつながってもアースは電気的につながらないからアースループを作らない。光ケーブルのこのメリットは，忘れられていることが多いが，実は非常に重要である。光ケーブルはジッターが増えるとかいわれて，実際にはジッターでどんな影響があるのかさえも曖昧なままに，何となく敬遠されていることがあるのだが，ジッターというキーワードだけにこだわってアースループを作ったのでは，科学の作法に沿っているとは言えまい（ジッターとは，デジタル機器の中でパルスをやり取りするタイミングが合わなくなり，間

1. アースと電源配線の科学

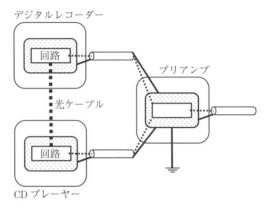

デジタル接続なら，光ケーブルをうまく使うとアースループを防止できることがある。

図 1.9　光ケーブルによるアースループの防止例

コラム：L-R 独立線にはデメリットあり

　アースループの視点から言うと，高級接続ケーブルにありがちな L と R の二本が独立している場合も，二本が大きく離れた別ルートを通るような配線をしてはいけないことがわかる。昔からある（あるいは付属品で付いてくる）L 線と R 線が中央でくっついている RCA 接続ケーブルのほうが，その点では安心なのだ。もちろん，高級な太いケーブルは音の面でのプラスも多いが，取り回しに注意が必要ということだ。筆者も L と R がくっついている線は，信号が超低レベルでノイズに細心の注意が必要なレコードカートリッジとフォノイコライザーアンプの間以外では使っていない。独立した線の場合でも，L と R 二本は必ず束ねて，またはよじって配線しておくべきことは頭に入れておこう。クロストーク（L と R 間の音漏れ）を気にしてわざと二本を離している，なんてことはしないほうがよい。信号レベルからみてクロストークの心配は非科学的だし，そんなことよりノイズを拾うほうが，はるかに問題が大きい。

　なお，先がスピーカーにしかつながっていない L/R 独立のモノラルパワーアンプへのプリアンプからの配線なら，ループができないので L と R の配線が別ルートでも問題ない。

違って信号が伝送される原因となる「タイミングずれ」のことを言う)。

一方,光ケーブルをよく考えずに使うと,アースが,接地にも機材間でもまったくつながっていない,という失敗が起きえるので,その点も注意しておこう。

図1.10は,そのようなことになってしまっている例だ。このような時の対策としては,ダミーでいいので,金属ケーブルもつないでおくことが考えられる。光端子しかないというケースではどうしようもないが,高級オーディオではそれは稀だろう。

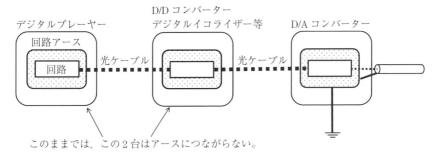

図1.10　アースがどこにもつながらず回路が浮いている例

1.3.3　電源プラグのアースはつなぐべきか

後回しにしてきた電源プラグのアース端子や背面パネルにあるアース端子の接続を考えよう。

海外製の製品には多くの場合は3P電源プラグがついてくる。日本の2P電源プラグへのアダプターもついているだろうが,そこにアース線が出ていて,思わず接地端子につなぎたくなってしまう。

えっ,つなぐのが当たり前じゃないの？　と思われた方は,本項をよく読んでほしい。筆者の場合,この3P電源プラグのアースは,一本もつないでいない。筆者は,電源コードはほとんど自作して,最短距離でコンセントにつないでいるので,その自作の時点で2Pに変換してしまって,アース線はすべて無視している。なぜかを以下に説明しよう。3P電源プラグのアースは,つないでもよい場合もあるが,つなぐのが当たり前ではない。

1. アースと電源配線の科学

「機器の信号線のアースと機器の筐体（ボディ）は必ずつながっている」と，どこかで学んでいないだろうか．すこし昔はそうだったのかもしれないが，現代のオーディオ機器において，この認識は正しくない．少なくとも筆者が調べたオーディオ機材のうち，半数くらいは筐体と信号線のアースとが絶縁されていることを確認している．

残るおおよそ半数の機材は，大多数は，筐体と信号線アースが完全導通（ゼロオーム）でつながっているが，まれに，数メガオームというきわめて高い抵抗であえてつないでいる（らしい）ケースもあった．これは筐体と信号線アースとを切るかつなぐかの中間的な選択だろう．今考えている例では絶縁されている分類に入れておいてよい．

一方，3P電源プラグのアース線は，以下のダミーの場合を除き，必ず筐体につながっている．感電防止というアースの趣旨からすれば，当然のことでもある．ただし，2P電源プラグが付属している国産機では，本体側の3Pの電源コード接続部のアース端子に，機材内で何もつながっていないものがある．つまりダミー端子になっていることがある．これは「アースにつないでくれるな」というメーカーの意思表示だ．

国内の有名オーディオ専業メーカー「マランツ」の高級CDプレーヤーのソケットでは，そもそもアースの中央ピンがなかった．同じく国内有名オーディオ専業メーカー「アキュフェーズ」の高級CDプレーヤー DP-720のマニュアルに，アースについて記載されている事項の例を図 1.11 に示す．要するに，「アース線を接地端子につなぐと感電の視点では安全です」と書いてあるだけ

電源は必ずAC100V家庭用コンセントを使用する．

■電源コードに付いているアース線の接続
付属の電源コードには，プラグ側に接地用アース線が付いています．感電防止のため，このアース線を接地用ターミナルに接続すると，より一層安全になります．
接地ターミナルの工事は，電気工事店にご相談ください．

図 1.11　マニュアルの記載例（アキュフェーズ DP-720 の使用説明書より）音質のためにアースの接続が必要とは書いていないのに注意．

であって，接地につなぐほうが音質的に望ましい，と書かれてはいない。

以上を知ったうえで，3P 電源プラグのアース線（ダミーでないとする，つまり背面のアース端子と同じ）を接地端子につないだら，または筐体を接地端子につないだら，どんな回路構成になるかを考えてみよう。図 1.12 を見ていただきたい。

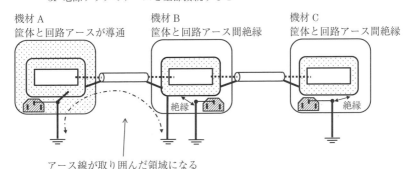

図 1.12 3P 電源プラグのアースを全部接地した例。この例では，筐体と回路アースが導通している機材 A を接地すると，二点接地になってしまう。

機材 A は筐体と信号線アースがつながっている機器，機材 B と機材 C は，筐体と信号線アースが絶縁されている機器だ。機材 B の信号線アースを接地することで一点接地を達成しようとしている。

筐体と信号線アースが絶縁されている機材 B と C については，3P 電源プラグのアースを接地したら，筐体は接地されるが，信号線アースとは絶縁されているので信号線の一点接地は変わらない。筐体が接地されることで二重シールドが完成し，外来ノイズには強いだろう。この接続によるデメリットは思い当たらない。

しかし，筐体と信号線アースがつながっている機材 A の3P 電源プラグのアースを接地してしまうと，ここで機材 A の信号線アースも接地したことになり，もくろみだった機材 B による一点接地は崩れ，二点接地になってしまう。すなわち，図中に示したような「アース線が取り囲んだ領域」が発生するわけだ。

当然，ノイズを拾いやすい。

　接地の主目的が，感電防止ならこれもよかろうが，ノイズ防止の視点では，機材Aの3P電源プラグのアースを接地するのは，何のメリットも見いだせない。

　すなわち筐体と信号線アースが導通している機材Aは，この組合せの中では，3P電源プラグのアースを接地してはいけない機材なのだ。

　もし，この機材を中心に，ここで一点接地を達成するように，Bの接地を取りやめれば，それは，Aでの一点接地になるので正しいアース配線になる。しかし，機材の中に複数のAのような機材，すなわち筐体と信号線アースがつながっている機材があったら，それらの3P電源プラグのアースを全部接地してしまうと，一点接地は達成できない。逆に，使用中の全機器で筐体と信号線アースが絶縁されているなら，3P電源プラグを全部接地していてもアースループはできないし，信号線アースも接地されないことになる。このようなケースでは信号線アースは接地しなくてよい。

　そこで，筆者の結論は以下だ。もし，あなたが，すべての機材の信号線アースと，筐体ならびに3P電源プラグのアースピンとの接続関係をテスターで測ったうえでアース戦略を立てるなら，よく考えたうえで選ばれた3P電源プラグのアースを接地することに異議はない。

　しかし

「だれにでも迷わず例外なく推薦できて，多点接地になってしまう心配がない方法は？」

と問われれば

「プリアンプまたはプリメインアンプ以外の3P電源プラグのアースは，原則つながない」

が回答である。

　この結論は，部屋に接地端子が配線されていない場合でも同じだ。接地端子につなげないなら，多点接地は「感電の防止」にさえならず，アースループができるデメリットだけが残る。

　ただし，一つだけ注意を促しておきたいことがある。もしビンテージ品（ア

ンプ，プレーヤーなど）をお使いならば，念のため，3P電源プラグのアースか筐体アース端子を接地しておくことを推奨する。ビンテージ品の中には，いまの基準なら「ほぼ漏電」といってよい電圧が筐体に出ていることがあるのだ。別に故障ではなく，当時の基準ではそれでOKだったのだろう。筆者も，筐体に触って，「何かチリチリするなあ」と思って気が付いたことがあった。さすがにこういうものは心配なので，たとえ多点接地になろうとも，接地につないおくのが安全側だろう。2001年に改正された現代のPSE法（電気用品安全法）を取得している機器なら，その点では心配がない。

　なお，こういう絶縁が悪い昔の機材は，電源プラグの極性（2P電源プラグをコンセントに挿す方向）に音に影響するほど敏感だったりもする。しかし，最新の機材なら，あまり極性も関係ないように思う。私の機材で，電源プラグの極性で結果が違うのは，トーレンスのプレーヤー（TD126MK3，1980年代の機材）だけだ。かつてはマッキントッシュC29（同様に1980年代の機材）もそうだった。しかし，現代の機材で，プラグの極性で全然違ったという経験はない。

　それぞれがお持ちの機材で結果が違うので，「電源の極性がすごく重要だ！」とおっしゃる方がいるのもわかる。その人の機材にとってはまったく正しいのだと思う。ただし，それは一般化できない。最新機材しか持っていない人にまで，電源の極性を気にしろ，というのは正しくないアドバイスだ。まあ，「念のために気にしておく」というなら正しいが，気にしようにも，最新機材では，以下のコラムに記した方法で極性を測定しても差が見えないことが多い。

　結局のところ，電源の極性も，最新機材なら世に言われるほど敏感でないらしいということだ。最高級機種でも，電源ケーブルには極性の表示があるのに，マニュアルでは極性のことに触れていないものもあった。「マニアからの要望」に応えて極性は一応表示したが，あえてマニュアルで言わないのは，「実は関係ない」とメーカー技術者も考えているということかもしれない。

　ただし，ビンテージ品では，アースと同様に，電源の極性も大いに気にする必要があることは，再度申し添えたい。

16   1. アースと電源配線の科学

> **コラム：電源極性の測り方**
>
> 対象の機材の信号線はすべて抜き（これは重要），電源コードだけをコンセントに挿し，スイッチを入れる。テスターを AC（交流），レンジ設定もあるなら数十 V くらいに設定し，テスターの片方の線の先を指で持ち，他方を機材の筐体に付ける。すると，数 V〜数十 V の電圧が表示される。この電圧が低くなるほうのプラグの挿し方が正しい方。これは有名な方法だが，どちら向きにプラグを挿しても，「電圧がどちらも数 V で差がわからないなあ」というのが，現代の機材では普通だと思う。テスターの先を持っている指の力加減で変わる電圧変化のほうが大きかったりする。
>
> ちなみに，先に書いたトーレンスの TD126MK3 では，このテストで，ある向きでは約 1 V，反対向きにプラグをさすと約 16 V，と差は大きい（図）。さすがにこのような場合には電源の極性を気にする必要がある。
>
>
>
> **図** ビンテージ品のレコードプレーヤーでの電源極性テスト
> AC プラグの方向で約 16 V（左）と約 1 V（右）という差が現れる。
> ただし，現代の機種ではここまで差があるのは稀である。

1.3.4 電源配線はタコ足配線がよいかも

とんでもないことをいうやつだと思われるかもしれないが，誤解せずに聞いていただきたい。オーディオ機器の電源配線では，コンセントはどこでもよいわけではないのだ。仮に，部屋の両端にあるコンセントから 2 台の機器に電源を配線したとしよう。図 1.13 の状態だ。

コンセントへの配線は，たいていは一つのブレーカーから一本（正確には一対）の線でつながっている。図を見てわかるように，そうすると，壁の中か，床の下の配線を含めて，機材との間に部屋いっぱいに広がったループができる。

ここで，3P 電源プラグのアースを接続していれば，もろにアースループが

1.3 信号線のアースと電源のアース

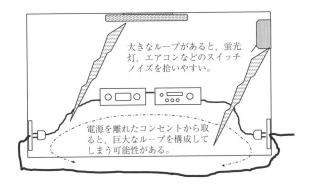

図 1.13 離れたコンセントから配電するのは禁物

できるが，仮に 3P 電源プラグのアースはつないでいなかったとしても，実は，信号線アースと筐体は，電源線と浮遊容量というコンデンサー成分でつながっていると思ったほうがよい。コンデンサーなので直流成分は流れないが，高周波なら流れる可能性がある。

これだけ大きなループアンテナを張ってしまったようなものだから，落雷とか，蛍光灯やエアコンのスイッチノイズなどを拾いやすいだろう。

実際に，筆者のシステムでも，テスト中の機材を，臨時のつもりで遠いコンセントから給電したところ，蛍光灯の ON/OFF で D/A コンバーターのミュートが働いて困り，他の機材と同じコンセントに変えたところ，あっさり収まったという経験がある。これは意外とやってしまいそうな失敗配電なのだ。

タコ足配線は言い過ぎだったかもしれないが，「できるだけ同じ場所のコンセントから，その容量を超えない限りで集中して配電する」ほうがよい。

オーディオ用の集中電源ボックスを使ったら，音が良くなったという話はよくある。ボックスの品質が良いからというのもあるかもしれないが，集中電源ボックスを使うと，確実に「1 か所からの集中配電」になるから，ノイズの点で有利なのは確実だ。音の良さには，それも関係しているのかもしれない。

また，接地端子を持つ 3P コンセントを部屋中に配線してもらって，完璧を期して 3P 電源プラグのアースを全部つないだら，なんかおかしい，というのもよく聞く話。ここまでの説明を理解していただければ，なぜそれがダメなの

かわかると思う。

1.3.5　家庭用交流電源の屋内配線

アースと電源を深く理解するためには，屋内の電源配線の基本を知っておいたほうがよいと思うので，以下に簡単に解説しておく。

電力会社からの家庭への配電は，大きく分けて二種類ある。単相2線式と単相3線式である。前者は，30アンペアまでの家屋の場合で，最近ではだんだん少なくなっている。後者は，一般の電化製品には100 Vを，エアコンや調理器具などの大電力を使う機器には200 Vを，それぞれ供給できる仕組みになっているもので，新築家屋の多くはこちらだ。なお，単相という言葉は，家庭用電力では当たり前なので以下では省略する（工場などの大きな動力には3相交流電源という配電方式が使われる）。

図1.14に2線式と3線式の違いを示した。前者だと，電柱（正確にはそこに乗っている柱上トランス）から家屋に引き込まれる線が2線ある。後者は，

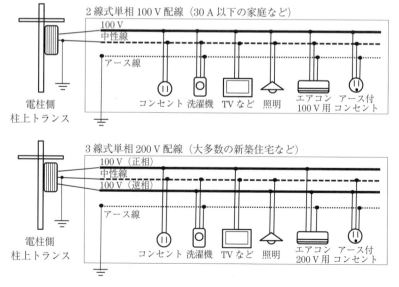

図1.14　単相2線式と単相3線式の屋内電源配線

それが3線になる。どちらの場合にも，線のうち一本は中性線と呼ばれ，電柱側で接地されている。アース線は，この中性線とは別の線で，家屋敷地内のどこかで接地されている。

2線式では，中性線ではないほうの線に交流100Vの電圧がかかっている。コンセントのプラグ穴の片側に中性線，もう一方に100Vがつながっている。二つのプラグ穴をよく見ると，左右で穴の長さが少し違うのがわかる。ちょっと穴が長いほうが中性線側と決まっている。ただし，2P電源プラグは，どちら向きにでも挿せるので，テーブルタップなどで延長した先は，穴の長いほうが中性線になっているとは限らないので注意したい。

3線式の場合には，100Vがかかっている線が2本あり，一方は正相，もう一方はその逆相（プラス/マイナスの振動が逆）の交流100Vがかかっている。200Vの機器には正相と逆相の2線を使って給電する。この場合，中性線は使わない。一方，100Vのコンセントや照明などの電気器具には，中性線とどちらかの位相の線を組み合わせれば100Vが供給できる。

コンセントは，部屋ごとに分けてどちらかの相で配電されているのが普通だ。しかし，リフォームした場合などは，同じ部屋でも逆相のコンセントが混在しているかもしれない。両相を混ぜて使っても危険はないが，オーディオ機器にそんな給電はしないほうが無難だろう。やはり，オーディオ機器には「離れたコンセントは使わない法則」を守ることを推奨しておきたい。部屋別のブレーカーを落とした時に同時に切れるコンセントなら確実に同相である。

最後に，中性線は電柱側で接地されているが，屋内で接地端子の代わりに使うのは，危険なので絶対にしてはいけない。そんなことをする人はいないとは思うが，念のために申し添えた。

1.4 人間を接地する

冬は空気が乾燥するため，機材に触るとき，静電気がパチッときて痛い。同時にD/Aコンバーターの同期が一瞬切れるほどのノイズが入ることもある。いまの機材は瞬時にミュートする（音を消す）ので，スピーカーからはノイズ

20   1. アースと電源配線の科学

が聴こえないことが多いが，回路によいわけはない。そこで，筆者が行っているその解決策をご紹介しておく。

　要は，体に静電気がたまらないように人を接地につなげておければよい。実はそのための商品がある（**図 1.15**）。導電性のゴムマット製で，そのアース用接続端子（**図 1.16**）を接地端子に接続し，椅子に敷いてその上に座れば，人間は，いつも接地につながっていることになる。このマットは，電子回路工作時に，敏感な電子素子を静電気で壊さないよう，机上に敷くための製品だが，それをお尻の下に敷いてしまうわけである。これで，立ち上がって機材を操作しても，パチッとくることはなくなった。ただ，座りごこちも見栄えも悪いので，この上にさらに三菱レイヨン（株）が開発した導電性繊維 ELEQUIL でできている自動車用の座布団を敷いている（**図 1.17**）。

図 1.15　人間用のアースマット

図 1.16　マットにあるアースへの接続端子。正しく接地端子に接続する必要がある。

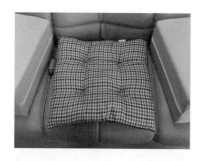

図 1.17　導電性繊維 ELEQUIL 製の座布団

冬の静電気に悩む方は，この方法も考えてみてはいかがだろう。ただし，部屋に接地端子があることが条件だ。ゴムマットを接地しなければ，静電気発生の多少の抑止にはなるが，蓄積していく静電気の放電効果はない。

1.5 アースと電源配線のまとめ

ここまでに説明したように，アースのつなぎ方はなかなか難しい。また，オーディオは感性の世界なので，電気工学的に正しいアースの接続が，一番良い音になるとは言い切れないかもしれない。

「うちのオーディオは，アースというアースをすべて接地端子につないでいるが，ノイズもないし，そのほうが良い音なんだ」という人がいるなら，それはそれでよい。それでノイズに悩まされていないのは幸運なことだが，本人がそれを良い音と感じるなら，問題ないではないか。

しかし，「すべてのアースを選択もなく全部を接地端子につないでしまうのが，一番正しいつなぎ方だ」と他人にアドバイスするのは間違っている。音のよしあしはともかく，科学の作法としては正しくはない。基本に戻って一点接地をめざしたら，もっと音が良くなるかもしれないではないか。

まして，「蛍光灯やエアコンのオン・オフでノイズが入るんだよなあ…」という方は，ぜひ，アース線の接続方法を見直してみることをお勧めしたい。

2. CDとハイレゾの科学

2.1 CDとハイレゾとは

　CD（コンパクトディスク）は，1980年に規格が決まり，最初のCDが市場に登場したのは1982年のことだ。そのデジタルフォーマットは，当時の技術で実現可能だった範囲で決定されていて，1秒間に44,100回だけ音をデジタル記号に変えていて，その音の大きさのレベルは65,536段階で記録される。一方，普及しつつあるハイレゾオーディオ（High Resolution Audio）[†]なら，これらの数字が88,200回や，96,000回以上である。音の段階数もCDの65,536段よりどんどん増えていて，いまや，CDは，数値では最新のハイレゾには見劣りがする。

　CDはもう見込みがないのだろうか。実はそうでもなさそうだと筆者は思っている。ハイレゾには非常に期待できるのだが，CDも実は，家庭用CDプレーヤー等では，その潜在能力を完全には活かしきれていないことが多く，再生技術の進歩によってまだ改善される余地がある。再生中に多数のエラーが発生して音が悪くなるというよく聞く説も，かなり誤解がある。これからは確かにハイレゾの時代ではあろうが，CDの再生音についても，その未来は意外と明るいように思う。本章では，この意外に誤解されているCDとハイレゾの話をしよう。

[†] 日本オーディオ協会によれば，ハイレゾの定義は幅が広く，CDスペックとされるサンプリング周波数（CDの44.1 kHzに加え48 kHzも含める）とビット数（CDと同じ16ビット）のどちらかをスペックが超えていれば，それを「ハイレゾ」と呼んでよいことになっている（https://www.jas-audio.or.jp/hi-res/definition）。
　つまり「44.1 kHzで24ビット」も，「96 kHzで16ビット」もハイレゾの中に入る。本書でいうハイレゾもこの定義には沿うが，本書で紹介するハイレゾの高い性能を確実に得るという意味では，サンプリング周波数が88.2 kHzまたは96 kHz以上であるのが望まれるように筆者は思う。

2.2　CDとハイレゾに関するQ&A

Q：安いハイレゾの機材のほうが，高いCDプレーヤーより音が良いのでしょうか。

A：一番安い機材同士での比較なら，低いコストで良い音にしやすいハイレゾのほうが優位なのは確かでしょう。しかし，最新の高級CDプレーヤーと，安価な機材によるハイレゾの音を比較して，ハイレゾが良いとは言い切れません。

Q：CDは，理論上，20,000 Hzまで完全に再生できるということです。人間にはそれ以上の超音波は聴こえないので，ハイレゾは意味がないのではないですか。

A：CDが20,000 Hz（以下20 kHzと記載）まで完全に再生できるのは「原理的には」であって，CDに記録されているデジタル信号から，そこに記録されたはずの元の20 kHzまでの音楽信号を完全に再現するには，実は，非常に長い計算が必要となります。計算速度や技術上の制約で，現代のCDプレーヤーをもってしても，その計算はまだ完全には実現しておらず，コンピューターの小型化，高速化とともに，どんどん再生方法が進歩しているのが現実です。ハイレゾにすると，20 kHzまで再生するために必要な計算が一気に減るため，簡略な計算でも良い音にできるので，その点でハイレゾは明らかに優れています。また，CDの再生の計算方法も進化していて，新型のCDプレーヤーが出るたびに，どんどん音が良くなっていくのはこのためです。

Q：古いCDプレーヤーを使っています。PCのCD-ROMドライブでCDを読み込んで，そのデータを再生してみると，CDよりずっと良い音がする気がします。CDプレーヤーがデータを読み落としている証ではないでしょうか。

A：不具合のない CD プレーヤーで，データの読み落とし（エラー）が発生するのは，2 mm 以上の大きなごみや傷があるとか，乱暴に扱われて盤面全体が傷だらけとか，かなり状態の悪い CD の場合だけです。通常は，エラー訂正が正しく働いて，完全なデータが読み出されます。

　かなり古い CD プレーヤーだと，ピックアップ（CD を読み取る部分）が劣化していて，データを読み落としているということはありえます。しかし，これは，CD プレーヤーの「不具合」であって，本来の性能なら，CD のデータを読み落としで，音質が劣化することはほとんどないと言えます。それよりは，PC に内蔵されるソフトウエアやハードウエアが最新式であることが，音が良くなる原因，と考えるほうが合理的です。それでコストをかけずに音が良くなるなら，よい再生方法だと言えます。

2.3　CD に関する不可解な「常識」

　CD のデジタルフォーマットは，44.1 kHz のサンプリングレート，16 ビットの階調深さとなっている。普及しつつあるハイレゾオーディオなら，これらの数字が 88.2 kHz や 96 kHz 以上で，さらには 176.4 kHz や 192 kHz，その 2 倍，4 倍とどんどん大きな数字になっていく。ビット数も 32 ビットになった。

　実際の音を聞いてみても，ハイレゾや SACD はもちろん，アナログディスクでも（いや，「でも」ではなくて，「当然ながら」というべきかもしれないが）ノイズという点を別にすれば CD より心地良い音がすることが多いのを認めないわけにはいかない。

　しかし，とはいえ，いまでも CD は最も重要な音楽ソースであって，入手できる種類が圧倒的に多いのも事実だ。私と同世代なら，大量の CD も持っているだろう。それなら，「CD なんかもうだめだ」と言わず，もっとできることがないか，考えてみてはどうだろうか。あなたのオーディオ装置は，その「今となっては時代遅れ」なはずの CD の性能を，本当に生かし切れているだろうか。おそらく，改善できる余地がある可能性は高い。

　CD をもっと良い音で聴こうとするなら，まずは正しい CD の認識が必要だ。

2.3 CDに関する不可解な「常識」

しかし，実のところCDについてはいくつかの知識が不可解な「常識」になっている。筆者が疑問に思うのは，次の2点だ。

第一は，CDの音がハイレゾに劣る理由は20 kHz以上の超音波が出せないからであるという常識。第二はCDの読み取りにはエラーがたくさん発生するから音が悪くなっているという常識。どちらも筆者には本当とは思えないのだ。

コラム：PCMのサンプリング周波数

CDフォーマットのように音の大きさを離散数（通常は2進数の0か1）で表す方式をPCMという。その大きさの各段階の差が全階調で同じものは，さらにリニアPCMという。CDのように16ビットなら，1か0が16個並んだものが1データ単位となり，2の16乗（すなわち65,536）段階の大きさを表せる（ただし，CDのディスクに記録されるデータは，後述のようにエラー訂正符号などが加わるので，16ビットより大きくなることに注意したい）。

一方，SACDはこれと違ったDSDというフォーマットである。これについては，3章で別途解説することにして，本章ではリニアPCMを考えていこう。

PCMのサンプリング周波数には，CDと同じ44.1 kHzとその倍数の系列（44.1 kHz，88.2 kHz，176.4 kHzなど）と，48 kHzとその倍数の系列（48 kHz，96 kHz，192 kHzなど）がある。なぜ二種類の系統があるのだろう。まず，最初に決まったのは44.1 kHzだった。1970年代にPCMの記録に使えるレコーダーは，当時のプロ用ビデオレコーダーで，その規格の範囲で人間の可聴帯域（20 Hzから20 kHzとされる）をカバーするのに一番適切な周波数を選んでいくと，44.1 kHzがちょうどよかった，という経緯だった[1]†。

その後，デジタルオーディオテープレコーダーDATが生まれるにあたり，CDから音質劣化の少ない「デジタルコピー」が手軽に行われてしまうことを危惧して，アナログ経由でしかコピーできないように，わざわざ違うサンプリングレートを設定したそうだ。それが48 kHzだった。いまでは簡単にサンプリングレートは変換できるから，あまり意味のない二重規格になってしまった。

---

† 肩付き番号は巻末の参考文献を示す。

2.4 サンプリングレートと信号の再現精度

デジタル録音においては，再生が可能な上限の周波数が理論的に決まる．サンプリング周波数の半分がその上限だ．サンプリングが 44.1 kHz なら記録可能な周波数の上限は 22.05 kHz になる．これはナイキストのサンプリング定理と呼ばれ，理論上，この数字は超えられない．

もし，よく言われるように，超音波（20 kHz 以上）が再生できるかどうかで CD とハイレゾやアナログとの音の差が発生しているのであれば，不可解な点がある．それをまず指摘してみよう．

44.1 kHz より 88.2 kHz や 96 kHz の音が良いのは，余裕をもって 20 kHz まで再生できる，という点から，確かに理解できる．実際，アナログソースの録音で A/D コンバーター（アナログ信号からデジタル信号に直す装置）で 44.1 kHz と 96 kHz のサンプリングレートでの音を比較すると，96 kHz のほうが音が良いことは明確に確認できる（トライアングルなどの高音の定位が安定する，高域が耳障りでなく滑らか，などの違いを筆者は感じる）．

しかし，192 kHz はさらに良く，384 kHz ならもっと良い，という理由を，「超音波が聞こえるから」と言って説明するのは無理があるのではないか．本来は人が聞こえないことになっている超音波が，「なぜかわからないが，音楽再生では聞こえるから」という説明なら，384 kHz ともなれば，可聴帯域のほぼ 10 倍，「190 kHz の音まで聞こえている」と言い張らなければならない．これはさすがにおかしい．

<u>「超音波が聞こえる」という無理な仮説なしに説明できる理由があるなら，そのほうが正しいのではないか，とまず考えるのが科学の作法だ</u>．私がそのような理由として納得できているのは，信号波形の再現精度である．

実は，CD では，つまり 44.1 kHz のサンプリングでは，人が聞こえる周波数範囲である 20 kHz より低い周波数でも，高域になるほど再生される音の波形の再現精度が下がってくる．なぜかを以下に説明しよう（なお，実はサンプリング定理では，サンプリング周波数の半分の周波数までは正確に波形を再現で

きることは保証されている。ただし，現在のD/Aコンバーター（デジタル信号をアナログ信号に直す変換器）ではその理論値まで必ずしも再現できていない）。

図2.1は10 kHz，15 kHz，20 kHzの音（サイン波）をCDのサンプリングレートである44.1 kHzでデジタル化すると，どのような離散データになるかを示した計算例だ。●点がサンプリング点である。離散的なデータ点を直線で結んだ折れ線グラフも示してある。図の上下軸方向，すなわちビット数については，ここでは十分に細かいとしておく（実際のD/A変換の内部処理では，このようなサンプリング点を折れ線で結んでいるとは限らず，もっと滑らかにつなぐ手法もあるし，逆に，もっと単純に，サンプリングした値を次のサンプリングが来るまで維持する階段状の矩形波で取り扱っていることもある。これについては2.6節で述べることにし，ここでは，視覚的に元のサイン波との差をイメージしやすいように，比較は折れ線で示すことにしておく）。

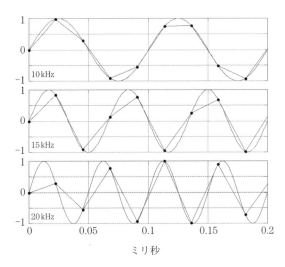

図2.1 10 kHz 〜 20 kHz のサイン波を 44.1 kHz でサンプリングした離散化データ

この折れ線グラフと重ねて描いてあるのが離散化前のサイン波だ。両者を見比べてみよう。10 kHzくらいなら，何とか元のサイン波の波形が再現できているように見えるが精度が高いとは言いにくいし，15 kHz，20 kHzと周波数

が上がると,少なくともその波形が精度良く再現されそうには見えない。20 kHz になると振幅(音の大きさ)さえもふらついて正しく再現されていないように見える。

変換後のアナログ出力においては,とがった角を持つ矩形波などは,20 kHz を超える周波数を含んでいるので(尖った角を表すには高周波の成分が必要になる),それをローパスフィルター(ハイカットフィルターのこと)で取り除くことで,角をなまらして,もっと滑らかな曲線にしてアナログ出力するのが普通だ。しかし,単純に滑らかにしたところで,上記の折れ線から元の波形を完全に再現するようには思えない。サンプリング定理で原理的には波形は再現可能なはずだが,それには複雑な計算が必要で,点と点を線で結ぶような単純な方法では元の信号を正確に再現できないということだ。デジタル化は単に波形をサンプリングしていくだけで簡単にできるが,サンプリング後の離散した

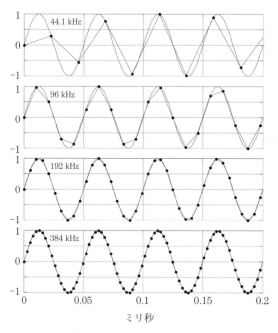

図 2.2 20 kHz サイン波形のサンプリング周波数による離散化データの違い

2.4 サンプリングレートと信号の再現精度

デジタル値から元の滑らかな信号を逆算するのは，デジタル化よりはずっと難しい。このような元波形からのずれ，特に振幅の揺らぎは可聴帯域で起こっており，音の変化として聞こえると考えるのが自然ではないか。

では，サンプリングレートを高めたらどうだろう。**図 2.2** は，20 kHz のサイン波を，96 kHz から 384 kHz までのサンプリングレートでデジタル化した場合を示している。比較のため 44.1 kHz も並べてある。

サンプリングレートが 96 kHz 以上になれば，波形の再現性は急速に良くなる。だからこそハイレゾが良いということになるわけで，当たり前ではあるが，サンプリング周波数が上がると，20 kHz 以上が出せるから良いのではなくて，点と点を単に線でつないだだけでも，かなり元の波形を再現するくらいになっていくから良いのだ，というのを見ていただくために，このような例を紹介した。

図 2.3 はさらに長い時間（40 周期分）で見た様子で，44.1 kHz のサンプリ

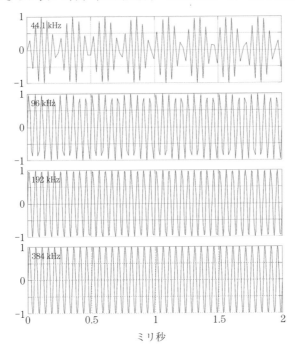

図 2.3 サンプリングレートによる波形再現の様子（40 周期分）

ングでは，振幅にビート（うなり）のような脈動が見えている．その周期を測ってみると，約4 kHzであることがわかる．サンプリング周波数と音楽信号の相互作用によるもので，正確には4.1 kHzとなる．

人の聴覚は，10 Hz以下のビートは音量の揺れとして感じ（「ウォンウォン」という印象），15 Hzを超えると，音量の揺れとは認識できない[2]．その場合，そのビートが乗っている音が可聴帯域であれば，人はビートをもう一つの「音」として感じるとのことだ．

2.5　D/Aコンバーターの波形は可聴域でも意外と異なる

前節で説明したようなビートが実際に44.1 kHzのD/A変換で起こることがあるのかを確かめてみたところ，典型的なビートを示す機種もあることがわかった．**図2.4（a）**は，プロオーディオ用のA/Dコンバーターで20 kHzのサイン波をCDと同じ44.1 kHzのサンプリングレートでリニアPCMに変換して，それをあるD/Aコンバーターで再度アナログ化してみたときの波形をオシロスコープで実測したものである．参考のため，再び先ほどの図2.3の波形も同じ時間スケールで並べている．

このD/Aコンバーターは2017年まで市販されていたかなり高額な機種に搭載されていたものなのだが，出力信号には典型的な4.1 kHzビートが乗る．図2.3の直線補間と同様の波形であることがわかる．ビート周期も同じだ．

その1波長分のオシロスコープでの実測波形を図2.4（b）に示している．カメラのシャッター速度を波の1周期より長くして，2周期が二重露光されるようにしてみると，振幅も波形もふらついていることがわかる．D/Aコンバーターによってビートや波形変形の出方に程度の差はあるが，サンプリング周波数が44.1 kHz時の20 kHz信号の波形変動を示す同様の波形画像は，文献3）にも示されていて，よく知られている現象である．この機種の名誉のために言っておくが，技術的にできなかったからこのようなビートが出ているのでなく，このような音が，聴いてみると意外と良いという人が多いから，それに応えたものと思う．この機種の音は雑誌などでも評価がかなり高かった．実際に音を

2.5 D/Aコンバーターの波形は可聴域でも意外と異なる

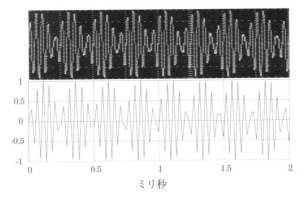

（a） 上はオシロスコープによる測定波形，
下が図2.3の44.1 kHzの予想波形

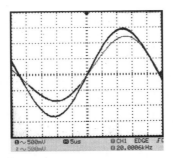

（b） 測定波形の連続した2波形をゼロを下から上に横切る点を
基準（トリガー点）としてオシロスコープに表示した波形の例。
振幅も含め波形が少しずれているのがわかる。

図2.4 D/Aコンバーターの波形と，図2.3でも示した離散点直線
補間との比較（44.1 kHzサンプリングで20 kHzのサイン波を入
力した場合の，あるD/Aコンバーターの出力波形）。（b）の図は，
オシロスコープの画面を撮影するカメラの露出時間を長くとっ
て，時間的に異なる波形を二重露光してある。

聞いてみると，確かに「この音が良い」と思う人がいても不思議はない音だっ
た。いわゆるCDらしい歯切れの良い音だ。言い方を変えると，滑らかなアナ
ログディスクとは対極の音なので，「デジタル臭い」と否定するひともいるだ
ろうし，「力強くデジタルらしい」と肯定するひともいるだろう。人の耳とは
面白いものだ。オシロスコープで音のすべてがわかるわけではない。また，D/

A変換方式（メーカーはフィルターという言い方をしている）を二つから選択可能になっていて，後述のとおり，別の方式を選択すると，ビートはもっと小さくなる．好みで使い分けてくださいということなのだ．音の違いは明快にわかった．

図 2.5 は，15 kHz，20 kHz，21 kHz のサイン波をサンプリングレート 44.1 kHz で PCM 化したデータの，様々な D/A コンバーターによる D/A 変換後のアナログ出力波形を示してある．21 kHz は本来の動作保証範囲を超えているから示すべきでないかもしれないが，一番特性の差がわかるので，参考までに示しておいた．そもそもこんなに違うのかと驚かれるかと思うが，ここには様々なノウハウが詰め込まれている．

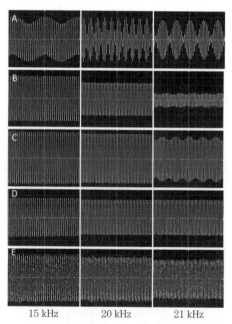

図 2.5 いろいろな D/A コンバーターによる 15，20，21 kHz のサイン波の波形のオシロスコープによる観察例

図中の A は先ほどの図 2.4 の例で示した機種の波形．15 kHz でも何か低周波（約 800 Hz）が乗っているのがわかる（上下対称でないのでこれはビート

ではない).

Bは同じ機種だがフィルターをもう一つの方式に切り替えた場合である.多少高域は落ちるが,ビートは大きく改善する.音も滑らかになるように感じた.

Cは20 kHzまではほぼ完全に再現するが,21 kHzではビートを発生している.

D機種のように21 kHzになってもまったくビートもなく,波形もきれいなサイン波を再現するD/Aコンバーターもある.この機種は,D/A変換に汎用チップを用いず,FPGA (field programmable gate array) と呼ばれる一種のコンピューターを用いて,独自のアルゴリズムでD/A変換をする非常に高価なモデルである.その効果は確かに見て取れる.

Eはかなり高い周波数のノイズが乗っているのが目立つ.この機種はCDのPCMデータを,SACDの2倍のDSDサンプリング周期である5.6 MHzのDSDに変換してからD/A変換する機種だ(SACDのフォーマットであるDSDについては3章を参照されたい).そのDSD特有の高周波ノイズをあえてカットしていないのだろう.そのため,波形がきれいには見えないが,ビートはほとんど見えないのもわかる.

図2.6は,高周波ノイズがD/Aコンバーターの出力にどれくらい乗っているかを見やすいように20 kHzの波を1波長分で示した測定結果だ(オシロスコープの画面をカメラで撮影し,その画像を,見やすいように白黒反転して表示している).一般ユーザーは,きっとDのようなきれいなサイン波なのが当然と思っているのではないだろうか.これは図2.5のD機種の波形で,ほぼ完全なサイン波で,高周波ノイズがまったく見えないすばらしい例である.確かにこのように高周波ノイズが見えないものもあるが,決して当たり前のことではない.このD機種は,21 kHzで試しても,ほぼ変化なくきれいなサイン波形を再現する驚くべき性能を示す.

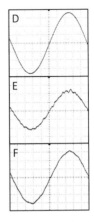

図2.6 D/Aコンバーターによる高周波ノイズの違い

図のEは，図2.5のE機種で，先ほど述べたとおり高周波ノイズが多い。もちろんフィルターで完全に除去もできるだろうが，あえてそれをしていないのは，何か音質への秘密があるのだろう。見た目はひどい波形に見えるかもしれないが，あくまで耳には聞こえないはずの超音波ノイズである。

　図のFは，図2.5では示さなかった別の機種で，プロオーディオ用の機材だ。まるで絵にかいたような折れ線波形だが，その角の数を数えてみると，44.1 kHz のサンプリング点の間を補間して，8倍オーバーサンプリングを実施しているのがわかる。さらにローパスフィルター（ハイカットフィルター）を通せば美しいサイン波になったであろうが，あえてローパスフィルターを通さず，折れ線のまま（つまり，超音波ノイズを乗せたまま）出力している。これもきっと，ローパスフィルターが可聴範囲に影響することを嫌ったのだろう。すなわち，この設計も，超音波ノイズは人には聴こえないことが前提なわけだ。実際に音を聞いてみると，もちろんこの折れ線出力の影響など聴こえない。

　実は，この一連の実験中，入力のアナログ波形と A/D，D/A 変換後の波形をオシロスコープ上で見比べていると，ここで示した画像以上にその差を感じたことがある。入力のアナログ波形は，オシロスコープの画面上でぴたりと動かぬ安定したサイン波なのに対し，A/D，D/A 変換後の波形は，いつも波形がブルブルと震えているのがよくわかる。10 kHz あたりでもぴたりとは止まらない。これを人の耳が感じてもまったく不思議はないだろう。

　もちろん，オシロスコープだけで音は判断できないのだが，このような可聴帯域の揺れやビートが少ないほうが，正しい D/A 変換の姿なのは確かだろう。一方，可聴帯域を大きく超えた領域の高周波ノイズは，ないに越したことはないが，ローパスフィルターが可聴域に影響するよりは高周波ノイズが残っていたほうがましなことがある，ということになろう。

　図2.2で見たように，サンプリングレートが 96 kHz を超えれば，20 kHz に対しては，ほとんどビートもなく，簡単に波形再現性を良くできる。これが，ハイレゾで音が良くなる理由であると考えるほうが，「人の耳には 19 万 Hz も聞こえている」と言い張るよりはるかに科学の作法に沿うと筆者は思う。

2.5 D/A コンバーターの波形は可聴域でも意外と異なる

コラム：ほぼすべての D/A コンバーターが実は DSD 変換経由

上記の E 機種で，DSD 変換していると記したが，実は，現在多くの製品に搭載されている D/A コンバーターチップでは，ほぼすべてで，PCM 信号は一度 DSD に変換されている。だから DSD に変換していることが特別なことではない（ただし，SACD のような 1 ビット型の DSD とは限らない。マルチビット型 DSD のこともある。3 章参照）。このようになった理由は，PCM を直接アナログに変換するチップを作るのはコストと手間がかかるからだ。初期の CD プレーヤーにはそのようなものが搭載されていたが，いまではそのような D/A コンバーターチップはほぼなくなったとのことだ[3]。その理由を簡単に説明してみよう。説明を簡略化するために，4 ビットの PCM で考えることにする。

4 ビット PCM 信号は 4 桁の 0 と 1 で構成されている。これを直接アナログに変換するには，それぞれの桁に合わせて電流を出力する電流源を用意する。1, 2, 3, 4 桁めに対応する各電流源は，それぞれ，例えば 1 mA, 2 mA, 4 mA, 8 mA のように 2 倍ずつ大きくなっている（mA：ミリアンペア）。

PCM 信号が（1111）なら，全部の桁の電流源が ON になって，15 mA（= 8 mA + 4 mA + 2 mA + 1 mA）の電流が流れる。

この 4 桁の PCM 信号で，(0111) の次の大きさの音は 4 桁目が 1 となって 3 桁以後はゼロの（1000）である。

（0111）の出力：4 mA + 2 mA + 1 mA = 7 mA（3, 2, 1 桁目が ON）
（1000）の出力：8 mA（4 桁目のみが ON）

このように（1000）の出力は（0111）より 1 mA だけ大きくなるはずだ。

ところが，この回路を実際に 1 チップの集積回路に作ろうと思うと，割と大変なのだ。現実の回路には誤差があるからだ。

8 mA の電流源にマイナス 10 ％の誤差があったとしよう。つまり，8 mA のはずが実際は 10 ％小さくて 7.2 mA だったとしよう。

一方，1 mA, 2 mA, 4 mA にも誤差が各 10 ％あって，それが運悪くどれも大きめだったとしよう。この状況では

（0111）の出力：4.4 mA + 2.2 mA + 1.1 mA = 7.7 mA（3, 2, 1 桁目が ON）
（1000）の出力：7.2 mA（4 桁目のみが ON）

つまり，(0111) と (1000) の大きさが逆になってしまう。16 ビットなら，1 桁目〜15 桁目の合計と 16 桁目の電流差を正確に設計通りに製造するのはさらに難しい。

現実の D/A コンバーターチップ（集積回路）の製造では，このようなことがないように，製造の課程で，「レーザートリミング」という方法で抵抗値を一個ずつ調整していた。だからとても高価になってしまう。

PCM を 1 ビット DSD に変換してからアナログに変換すれば，このような困難は一気に解決するのだ。それゆえ，PCM を直接変換する D/A コンバーターチップは，文献 3) によれば，市販されているチップでは，もはや 1 製品だけだという。

ただし，これは集積回路の汎用 D/A チップの場合で，その変換回路をディスクリート回路で組み上げて，PCM を直接アナログ変換する D/A コンバーターは今も存在する。もちろん非常に高価な機種だが，そのほうが音が良いという主張だろう。手間はかかるが，一個一個を調整すればできないことはない。

コラム：ハイパーソニックエフェクト

音楽に大きな超音波成分があることで人が快感を感じることが大橋力氏による詳細な研究によって証明されており，ハイパーソニックエフェクトと呼ばれる[4]。これは実験的に確かめられている事実である。しかし，本章で問題にしているビートや波形の変化は，可聴域での変化であるから，ハイパーソニックエフェクトではない。

波形変形の問題は，超音波で起こっているのではなく，20 kHz 以下で起こっている。ハイレゾの音が良い理由として，人には聴こえないはずの超音波を持ち出す必要はないかもしれないのだ。

2.6 サンプリング定理との関係

リニア PCM の再生上限周波数を決めるナイキストのサンプリング定理は，サンプリング周波数の半分までは正しく情報が記録されることが「可能」であることを保証する。

2.6 サンプリング定理との関係

それなのになぜ，完全には再現できないD/Aコンバーターがあるのだろう。それは現在のD/Aコンバーターに許される計算時間とメモリに限界があるからだ。少なくとも計算はリアルタイムでなければならず，1サンプリング分の音楽信号の処理に1サンプリング時間以上かかっていては，再生が続けられない。その制約の下で再生しようとしているから，その仕組みには何かの妥協がある。

アナログ変換にあたり，サンプリングタイミングの中間での信号を推定するのに，**図2.7**の下段に示したように，データを直線でつないでいく方法をとると，各サンプリング点の信号レベルの再現に直線両端の「2点」の情報しか使っていないことになる。さらに，図2.7の上段に示した矩形状の推定の場合は，各横方向の直線の始点のたった「1点」しか使っていない。本当は，2点間は直線ではなく，もちろん矩形波でもなく，様々なサイン波の合成された滑らかな波形のはずだ。それを精度よく再現するには，注目している点の前後2点よりもっと離れた前後の信号も取り入れる必要があることが知られている。例えば，前後128個，合計256個使って推定する，というような感じだ。つまり単純に点をつなぐのでなく，もっと時間的に前後の多数点から本当の波形を推定するということだ。そのアルゴリズムはいささか難しくここでは深入

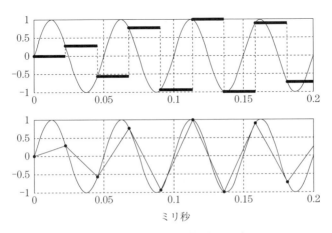

図2.7 サンプリング点数1と2の違い

りできないが，2点の直線補間で推定するよりは確実に精度があがる計算方法が知られている。

　数値計算では，この計算に入れる点数（サンプリング点数と呼ぶ）の数を2のn乗，すなわち，$2^4=16$，$2^8=256$，$2^{10}=1,024$，$2^{12}=4,048$ などと選ぶと計算上で都合がよいことが知られていることから，この点数を2のn乗に選ぶことが多い。

　このあたりを理解するにはすこし数学的取扱いを理解する必要がある。挑戦されたい方のためには，比較的わかりやすい参考書として，文献2）と5）を挙げておく。文献2）はできるだけ最小限の数式だけで説明してあり理解しやすい。文献5）は，内容を理解するには理系大学程度の数学を必要とするが，実際に応用できるところまで解説されている。

　理想的なアルゴリズムで，サンプリング点数を十分に大きくできればナイキストのサンプリング定理の理想値を達成できるはずだ。詳しいアルゴリズムは企業秘密で公開されていないので，われわれユーザーには結果しか見えないのではあるが，おそらく現実は，サンプリング点数や計算項の数を可能な範囲で妥協するか，何かの方法で近似するので，ナイキストのサンプリング定理が示す再現可能な上限周波数に近い周波数領域では波形が正しく再現できないのだろう。

　この視点を持つと，コンピューターの計算速度が時代とともにどんどん増し，利用可能なメモリも大きくなっていくことの効果に思い至る。これこそが，CDプレーヤーやD/Aコンバーターの音が，時代ともにどんどん良くなっている理由に違いないのだ。

　これはすなわち，CDの音は，44.1 kHzのサンプリングであっても，今後まだ良くなる可能性を秘めているということではないだろうか。今持っているCDは大事にしておこう。10年後には，その時代の圧倒的な数値計算能力によって，驚くほど良い音で鳴ってくれるかもしれないのだ。もちろんハイレゾのほうが余裕はあるはずだからハイレゾに越したことはないが，むやみに高い周波数でサンプリングする必要がない時代はきっとくると筆者は考えている。

2.6 サンプリング定理との関係

　計算時間やメモリの制約でサンプリング点数に上限があることに鑑みれば，サンプリング周波数もビット数も，「高ければ高いほどよい」とは言い切れないことに気が付く．どちらも高くすればするほど計算負荷は増え，サンプリング点数を少なくせざるをえないのが自然だからだ．その時点の計算能力に最適なサンプリング周波数があるはずである．

　昨今のサンプリング周波数とビット数がどんどん高くなっていく現象は，カメラメーカー間のデジタルカメラの総画素数競争に似ているところがある．筆者は，天文年鑑（誠文堂新光社）というハンドブックに，その年に販売された主なデジタル一眼レフカメラのデータをまとめて執筆させていただいている関係で，年々増加する総画素数をいつもフォローしていて，その増加速度に驚かされている．画素数が多いほうが商品として顧客にアピールするからなのだと思うが，そこで失うものについて語られることは少ない．実は，同じ大きさの

コラム：デジタル化と波形再現精度に関する科学実験中の経験

　1980年代初頭のことになるが，筆者が米国のプラズマ物理学関連の研究所で働いていたころ，実験装置の中で発生する高周波の周波数分析が私の担当で，計測位置による位相差を測定して，高周波の伝播速度を出すのが目標だった．当時としては最高レベルのデジタル機器だったが，サンプリング周波数が測定すべき高周波の2倍より少し高い程度で，サンプリング点数も最大256しか取れず，位相が正しく同定できなくて苦労した．サンプリング周波数の半分よりかなり低い周波数でも，サンプリング点数が十分に多くないと，位相を正しくは再現できないのを実感した体験だった．実はその直後にオーディオCDが華々しく登場する．「44.1 kHzのサンプリングなので20 kHzまで再生できます」という説明に，実体験からちょっと不安を感じたのを覚えている．実際に聞いてみると意外に良い音がして安心はしたのであるが．ただ，当時は，なんだかCDの音は高域がおかしいという感がどうしてもぬぐえず，CD登場以後も，アナログディスクが同時発売になっていればそちらを選んでいたものだった．ここまでの説明を読んでいただければ，その理由が何であったのかがわかるだろう．この「高域がおかしい感」がなくなってきたと感じ始めたのは，実は21世紀に入って何年も経ってからだった．

撮像素子なら，画素数を増やすと一つの画素の大きさは小さくなり，感度は落ちる傾向にある．一つの画素に蓄積できる電子（画像素子は光を受けて発生する電子を蓄積する）が少なくなり，S/N 比が上がらないからだ．

ハイレゾオーディオでも，数値競争に陥らず，時代の技術にふさわしいサンプリング周期とビット数を早く見出してほしいものである．

2.7　CD のエラー訂正への誤解

　CD の非常に良い点は（そして普及した理由でもあるが），原則としてデジタルのままコピーすることの禁止処置がとられていないことだ．歴史的にはコピーガードなる方式が導入されたこともあったのだが，音に影響があったり，結局のところ容易にコピーができたりして，たちまち廃れてしまった．いま出回っている CD で，コピーガードがかかっているものは稀だろう．

　このおかげで，CD の音楽データは，パソコンを使って，原理的には音質の劣化がないデジタルデータのままでコピーすることができる．これを，リッピングという．

　ところで，CD はリッピングして聞いたほうが音が良い，という話は聞いたことがないだろうか．理由としてよく言われているのは，以下のような「説」だ．

　CD プレーヤーは，時々データの読み間違い（データエラー）が発生する．その場合には，エラー訂正機能が働くが，CD のエラー訂正機能は脆弱で，訂正しきれないことがありえる．訂正できなかったデータは，適当に間を埋めて（補間という）再生してしまうので音が劣化する．一方のリッピングでもエラーは発生しうるが，仮にデータを読みそこなっても，PC につないだ CD-ROM では，エラーがあると何度も読み直しに行くことで，正しいデータを読み取れる可能性がある．

　この驚くほど広く信じられている説は，理論上は間違ってはいないが，かなり誤解もある．問題は，CD のエラー訂正機能はそんなにも時代遅れで，そんなにもエラー訂正を失敗して補間に到っているのか，という点だ．確かにエラー訂正の失敗は起きえるが，実際の失敗が，本当は非常に稀にしか起きないなら，

大きな問題ではない。

　CDのエラー訂正には，リード・ソロモン符号という誤り訂正方法を基本に，いくつかの工夫が組み合わされている。

　リード・ソロモン符号は，英国人のアービング・リードとギュスタブ・ソロモンによって1960年に発明された。この訂正手法はかなり巧みで，現在もCD以外でも広く有効に使われている。エラー率が現実的な時間内では実質的にはゼロと見なせる（発生確率が非常に低い）現在のPC機器間などのデータ転送に比べれば，CDの仕組みはエラー訂正に失敗する確率は高いのだが，それでも「CDのエラー訂正機能は脆弱」というのは言い過ぎの気がする。

　CDの開発者である中島平太郎氏と小川博司氏による「図解コンパクトディスク読本」[1)]によると，CD盤面がきれいで，特別に大きな傷や汚れがない場合，エラーが訂正できずに，データの補間が行われる事態に至る率は，数か月も再生を続けて1回以下という低い確率であることが予測されている。オーディオファンが大切にしているきれいなCDでは，読み込み時のエラーはほぼすべて訂正され，補間でデータが変わることはめったに起こらない，という言い方のほうが，定量的には正しいように思う。

2.8　CDのパーフェクトリッピング

　CDのエラー訂正に関する事実を知ったうえでも，やはりリッピング中にエラー発生でデータが失われるのが心配なので，補間なしで読めるか確かめたいという方のために，良いものを紹介しよう。オーディオはもちろん，ディスクドライブでも有名なパイオニア株式会社が開発したPC用ブルーレイドライブで実行可能な「ピュアリード」という機能だ。パイオニアとPureReadというキーワードで検索すると製品や同社の関連サイトが出てくる。

　筆者が入手したのは，「Portable BD/DVD/CD Writer BDR-XS06J」（**図2.8**）であるが，製品の入れ替わりが早い分野なので，その時点で販売されているものを調べたほうがよい。

　このPureReadという機能は，パイオニアのドライブだけで実施可能な機能

42   2. CDとハイレゾの科学

図 2.8 PureReadを搭載するパイオニアのPC用ディスクドライブ（右），左は他社のDVDドライブ

だ。その機能とは，CDのリッピングにおいて補間を禁止するパーフェクトモードというのを選択可能なのだ。このモードでは，補間が発生してしまったら，リッピングを中止する。

　大変慎重なことに，このPureReadのパーフェクトモードを起動するドライブユーティリティーは，製品に同梱されていない。説明書の一番最後のほうに，何の説明もなく，「専用ドライブユーティリティーについて」という記載があり，ダウンロードサイトが記載されているだけなのだ。これは，内容を知らない人がパーフェクトモードをONにしてしまったら，他のドライブでは読めるディスクが読めない，というトラブルになるかもしれないことを危惧しているのだろうと思う。これはまさに，知る人ぞ知るオーディオマニア御用達の機能である。

　この専用ユーティリティーを起動すると**図2.9**のような画面が立ち上がる。ここで，図のように「パーフェクトモード」をOnにし，「ドライブに設定を保存する」にチェックを入れれば，パーフェクトモードで動作するようになる。普通のCDを読ませたのでは，とうてい補間は発生しそうになかったので，動作を試すために，**図2.10**のようにCDに幅5mm，長さ2cmくらいのテープを貼って一部を読めなくするという乱暴な処置をしたCDを読ませてみた。

　CDのエラー訂正（2.9節）の知識から，テープ幅が2.38mmを大きく超えていれば，確実に補間が発生するだろう。実際に起こったことは以下のようだった。

　他社のCDドライブや，パーフェクトモードにしていないこのドライブで読

2.8 CDのパーフェクトリッピング　　43

図2.9　PureRead ユーティリティーの設定画面

図2.10　テープを貼ってバーストエラーをあえて誘発させたCD

み込むと，テープを貼る前より読み込み時間は余計にかかるものの，何とか読み込めてしまう。

しかし，パーフェクトモードをONにしていると，ある時点から読み込みがまったく進まなくなる。ただそれだけで，エラーメッセージなどは何も出ない。だから，PureReadの機能を知らなければ，ドライブの故障だと思われるかもしれない。メーカーがこのユーティリティーを同梱しなかった理由もわかる気がする。

筆者は，その後もいろいろな手元のCDをリッピングしてみている。むろん傷だらけのものなど一つもないから，これまで，PureReadの読み込みが停止したことはたったの一度だけだ。それは大きな指紋が付いているのに気が付かずにリッピングを開始したケースだった（図2.11）。しかし，その汚れをふき取ったところ，停止せずに読めるようになった。つまり，CD面をきれいにしておけば，通常は完全なリッピングが行われており，補間は発生していないと思ってよさそうなのだ。

オーディオファンが大事に所有するCDなら，PureReadのパーフェクトモードで読み込み動作が停止することはなさそうだ。ただ，パーフェクトに読めた

44 　2. CDとハイレゾの科学

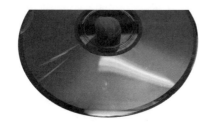

図 2.11 指紋で補間に至ったCD表面の例

という安心感は大事なことだと思っており，このドライブはずっと愛用している。

実は，PureReadの開発ストーリーを紹介しているパイオニア株式会社のサイト†でも，CDの補間発生について以下のような慎重な説明がある。

「新しいCDオーディオディスクで傷やよごれのない場合など，補間が発生しないディスクでは，ピュアリード機能は働きません。」

まさに，このとおりなのである。よほど汚れたり傷ついたりしていない限り，安心してCDを聞いていて大丈夫なのだ。

2.9　CDのエラー訂正の原理

以下，本書としてはやや難しくなるが，CDのエラー訂正について，その仕組みを，なるべく数式を使わず，概念的にわかるように説明してみたい[1]。

2.9.1　ビット，符号，フレーム

まず，以下で使うビット，符号，フレームという用語を定義しておく。

1ビットとは，0か1かのデジタルデータの最小単位のデータだ。1ビットあたり2種の状態（0か1）を表せる。2ビットのデータなら，「0または1の状態」が二つあるから，2×2，つまり2の2乗の状態が表せる。4ビットなら2の4乗（＝2×2×2×2）で16状態を表せる。

CDの録音で，毎秒44,100個（つまり44.1 kHzのサンプリング周期で）送られてくる1サンプルごとのデータは16ビットだが，それを8ビットずつ

---

† http://pioneer.jp/pcperipherals/dvdrrw/pureread/　（2018年8月現在）

に分けて，それぞれを「符号」と名付ける．この符号は8ビットだから，2の8乗＝256種類の符号があることになる．エラー訂正は，この符号ごとに行われる．なお，元の16ビットのままのデータは「16ビットデータ」と呼んで区別することにしよう．

1フレームとは，CDのエラー訂正の流れで，ひとまとめとして扱うデータ集合のことである．1フレームには，この符号が6サンプリング分入っている（44.1 kHzでのサンプリングの6回分）．片チャンネルあたり12符号，左右あわせて24符号のデータ，ビットでいえば192ビット分が1フレームとして扱われる．

整理して書けば，1フレームに含まれる音楽信号は，次式となる．

$$1\text{フレーム中の音楽信号}=24\text{符号}=6\text{サンプル分の左右信号}=192\text{ビット}$$

2.9.2 エラー訂正のステップ

CDに記録するときには，16ビットのPCMデータを以下のようなステップで処理を行ってから記録する[1]．

ステップ1：スクランブル（偶数番目の符号を2フレーム分進める）（配置入替）

ステップ2：C2エンコード（訂正符号を4符号追加）

ステップ3：インターリーブ（一定の方式で符号の配列をばらばらに入替）

ステップ4：C1エンコード（訂正符号を4符号追加）

ステップ5：奇数番目の符号を1フレーム分遅らせる（配置入替）

エラー訂正は，インターリーブという操作をはさんでC1とC2の2段階で行われることに注意されたい．C1とC2のエンコード（元に戻す逆過程はデコード）のところでリード・ソロモン符号が使われる．再生時に訂正に成功した場合には，読み込みでエラーが発生していても，出力信号にはエラーは含まれないことになる．

ステップ2のC1とステップ4のC2，それぞれで訂正用符号が4符号，合

計8符号が加わるから,1フレーム当りのデータは,上記の24符号に八つの訂正符号が加わり,合計32符号としてCDに記録されている。

再生のときはこの逆プロセスになる。それについては後述するとして,まず,ステップ2とステップ4での訂正符号の追加によるエラー訂正の概念を説明する。このエラー訂正の詳細な解説は文献1)にあるが,ここでは,その訂正の原理(概念)をイメージできるように簡略に説明する。

2.9.3 エラー訂正のイメージ

符号は8ビットなので,8個の0または1からなり,その組合せは,1番(00000000)から256番(11111111)まで256種類ある。

それを碁盤上のマス目に配置することをイメージしてみよう。ちょうど256個のマス目しかない碁盤,例えば16×16の碁盤のマス目に1番(00000000)から256番(11111111)までの名前を付けて,対応する符号を並べることにする。盤面に,一つの空きもなく並ぶことになる。

もし,そのどれかのデータが,読み出しエラーで一部でも変わったら,つまり,0であるべきところが1になるか,1であるべきところが0になるかしたら,その符号はそのほかの255個のマス目にあるどれかの符号と必ず一致してしまい,規則に沿ってその間違った名前のマスに移動される。移動後は,それが元の位置からエラーによって移ってきた間違い符号であることは,絶対にわからない。エラー訂正が不能ということである。

そこで,もっとはるかに広い碁盤を考えよう。図2.12に広くした碁盤の一部のイメージを示す。マスの総数は,256個よりはるかに大きい。この「碁盤を大きくする」というのが,「訂正符号を付け加える」ことに対応する。この広い碁盤のある場所に,A,B,C,Dの四つの真の符号の置き場所を図中の網掛したマスのように配置する。各真符号は,間に3個以上の白マスがあるように配置してある。

<u>碁盤全体では網掛マスが256個だけあり,その網掛マスだけに256個の真符号があてはめられている。真符号の同士の間に白マスの余裕がある点が</u>,先

2.9 CDのエラー訂正の原理

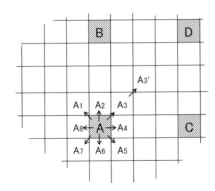

図2.12 エラー訂正のための符号間距離が3の場合の符号配置のイメージ図

ほどの256マスしかない碁盤とは違う.さらに,この網目マスにある真符号(訂正符号部分を含む)の中の0または1のどれか一つを変えると,そのデジタル値は,網掛マスの周囲の白マスの値に必ず対応するように白マスの値を設定しておく.

このような配置の中,読み出されたA符号の中の0または1のどれかが一つだけ間違っていたとする.するとそれは,Aを取り囲む白マス,A1からA8のどれかになるはずだ.真符号は網掛マスにしかないことはわかっているから,白マスになった符号が「間違い符号」なのは確実にわかる.読み出したデータが間違っていて,A1〜A8のどれかになったとし,間違いが1か所と考えてよいとしよう.

A1〜A8のいずれも,周囲の真符号B,C,Dとの間には2マス以上がある.間違い一つでは隣のマスに移るだけであることを考えると,B,C,DからA1〜A8までは間違い一つではたどり着かない.よって,間違ってA1〜A8になった元の符号はAであることがわかる.つまり,数字に1か所の間違いがあっても,間違いであることがただちにわかり,かつ真符号が正しく推定可能ということである.

次に,もし,1か所の間違いでA3になったあと,さらに2か所目が間違っていて,A3'になったとしよう.この場合,元の正しい符号がAであるとは,もはや言い切れない.なぜなら,B,C,Dから2か所間違って(つまり二マス進んで),ここに来たのかもしれないからだ.

この描像から，間違いが1か所の時に正しく訂正できるには，各符号の間に，最低でも三つの白マスが配置されているのがポイントであることがわかる。これを「符号同士の最小距離が3である」と表現する。最小距離が大きいほど，訂正できる余地が大きいので，「データの冗長度が高い」という。

CDフォーマットでのエラー訂正においては，この最小距離は「5」に設定されている。ゆえに，符号中で最大2か所のエラーまで訂正が可能だ。この符号間距離を取るために付け加えられるのが，ステップ2とステップ4の訂正符号なのである（下記で説明するとおり，CDの記録では，このエラー訂正に加え，誤りが符合中に複数現れないようにする工夫が組み合わされていて，1符合中に訂正不能な3個のエラーが出ることは，ほとんどないように考えられている）。

このようなエラー訂正方法を，もっと簡単に，一言だけで表すと，「訂正符号があることで，エラーがあっても，それが元の正しい符号に似ていると認識できるようになっている」ということができる。

なお，上記の説明は，エラー訂正をイメージしてもらうために筆者が考えたもので，数学的な正確さに欠ける部分もあるが（周辺のマスは8個とは限らないなど），符号間最小距離と訂正原理のイメージはつかんでいただけたと思う。

2.9.4 再生プロセス

ステップ1～5の説明に戻ろう。再生のときはこの逆プロセス，ステップ5から1になる。それぞれのステップの役割を理解するには，この再生手順のほうがわかりやすいように思うので，再生時の逆ステップを，ステップ5から最後のステップ1まで追って，考えてみよう。

再生時はステップ5の逆過程から始まる。ここで，奇数番目の符号の入替を元に戻す。これは**図2.13**のように，CD盤上に欠陥があってエラーが二符号に渡ったとき，連続した符号のエラーは訂正が単独のエラーより難しいので，記録時に実際の配列と違う配列にしておき，読み込んだ後でその配置を元に戻すことで，なるべく単独の符号エラーとなるようにしている。図のようにCD盤面に二つ連続で欠陥があっても，ステップ5の逆過程を通過後は，単独の欠

2.9 CDのエラー訂正の原理   49

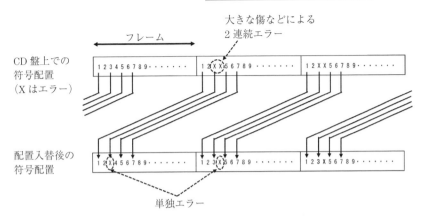

図 2.13　ステップ 5 逆過程のイメージ

陥になっているはずだ。

　次にステップ 4 の逆過程（C1 デコード）で，エラー訂正を行う。これは，CD 盤上の比較的散発的な小スケールエラーの訂正を試みるものになる。

　次がステップ 3，インターリーブの逆課程になる。インターリーブとは，一定の決まりに沿って，データ符号の並びを CD 盤上ではばらばらになるように入れ替えておくものだ(ばらばらと言っても規則に沿ってだから，元に戻せる)。もし CD 盤上に大きな傷や汚れなどがあって広い範囲が読めなくても，このインターリーブを元に戻した時点で，そのひと固まりの欠陥は，ばらばらに分散してしまうので，訂正がしやすいことになる（**図 2.14**）。

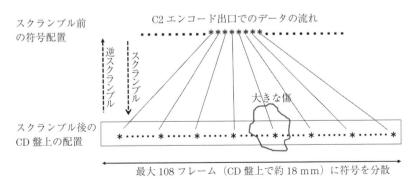

図 2.14　ステップ 3 インターリーブのイメージ

次のステップ2のC2エンコードでの訂正では，この逆インターリーブ後の符号を訂正するわけだ。逆インターリーブの効果で，仮にCD盤上に大きな傷や汚れなどがあっても，ステップ2に入った段階では，その欠陥はバラバラになった散発欠陥に見えるはずだから，訂正がしやすい。すなわち，ステップ2の逆C2エンコードでは，散発的なエラーではなく，バーストエラーと呼ばれるCD盤上の大きな欠陥を訂正するのが役割になる。

逆に言えば，大きな傷や汚れがなくて，散発のエラーしかなければC1だけで事足りる。C2での訂正まで必要なのは，かなり状態が悪いCDということになる。オーディオファンの皆さんが慎重に取り扱っているCDならバーストエラーなどは，たぶん，ほとんどないだろう。

文献1）によると，このC2段階でバーストエラーが正しい符号に修正できるCD盤上の欠陥の大きさは，0.51 mm～2.38 mmとされている。これは結構大きい。みなさんの大事なCDにはこんな大きなゴミや傷があるだろうか。

最後の逆ステップが，ステップ1の配置入替になる。この操作は，ステップ5とよく似て見えるが，意味は違う。この段階までにエラーが訂正されずに残っている場合は，それはかなり大きなバーストエラーで，正しい符号に直せなかった場合になる。

もはや正しい符号はわからないので，その間違っている符号を含む16ビットデータは，その両脇にある16ビットデータ（以下，単にデータと書く）から補間して予測するしかない。この時点でそれが誤データであることはわかっているとする。もし，誤データであることさえわかっていないであれば最悪のケースで，補間さえできず，バチっといった大きなノイズが発生することになるが，その確率はさらに低い。

補間することを考えると，「・・・・正正誤正正・・・・」のように誤データが正しいデータに挟まれていたほうが精度良く補間ができる。しかし，「・・・・正正誤誤誤正正・・・」のように誤データが連続していたら，うまく補間できないだろう。

ところが，CD盤面上では誤データが連なっていても，配置入替を元に戻せば，

1個置きにデータが2フレーム前の場所に移動することで,「…正正誤正正…」のパターン,つまり誤が正に挟まれ補間しやすいパターンになっていることを期待するわけだ。ステップ1（の逆過程）は補間せざるをえないときの最後の砦だ。

以上では,CD再生で行われているエラー訂正を非常に単純化して紹介したが,なかなかうまく考えられている仕組みだと思わないだろうか。

CD盤面がきれいで,特別に大きな傷や汚れがない場合,エラーはランダムに発生すると考えられる。そのような場合,最終的に逆過程のステップ1まで到って補間が行われる事態に至る率は,数か月の再生を続けて1回以下程度の低い率と予測されている[1]。

オーディオファンが大切にしているきれいなCDでは,読み込み時のエラーはほぼすべて訂正され,補間でデータが変わることはめったに起こらない,というほうが,定量的には正しいと言えよう。

2.9.5 読み出しドライブによるエラー

前項では,CD盤上データのランダムエラーのみを考えており,CDの読み出し中の外乱によるエラーは考えなかった。

例えば,CDを読み出し中に,大きな振動があって,ピックアップが揺れたら,それは読み出しデータに巨大なバーストエラーを作り出すだろう。その結果,エラー訂正には失敗して補間が発生することもありえる。したがって,CDドライブあるいは,CDプレーヤー全体を,振動が遮断できる剛性の高い構造にしたり,バネなどでフローティングしたりしておくのは,意味があることである（図2.15）。

とりわけ,CDプレーヤーは,同時再生している音楽の大音響にさらされるので,静かに使うPC用のCD-ROMより振動を気にした設計にしておく必要があるだろう。CDプレーヤーが高価になるほど,重くがっちりした構造で,かつ,内部をフローティングしていたりするのは,そのためである。「何もここまでしなくても…」と思うものはあるのだが,念には念をという意味では,

52   2. CDとハイレゾの科学

図 2.15 本体がスプリングでフロートされた珍しい形式のCDプレーヤー，カナダのオラクル社製「オラクルCDドライブ」。本機はD/Aコンバーターを内蔵せず，デジタル出力しかないので，正しくは，CDプレーヤーではなくCDドライブと呼ぶ。別途D/Aコンバーターが必要だ。

間違った方向ではない。

筆者が1990年代初期に購入したCDプレーヤー（図2.15とは異なる米国製）での経験では，プレーヤーの天板を指でコンコンと，だんだん強く叩いていくと，その強さに応じてしだいに音が悪く（不鮮明に）なっていき，ついには音飛びが発生した。この頃のCDプレーヤーは，割と外乱に弱かったということだ。この頃の記憶をいまだに持っていると，読み出し時にエラーを発生しているに違いない，という想像に到るのだと思う。しかし，現代のCDプレーヤーでは，同じことをしてもびくともしないのが確認できる。これはピックアップ部の制御や読み出し技術が進化して，少々の振動ではバーストエラーを発生しなくなったからだ。カーオーディオを思い出そう。いまやガタガタ揺れる車の中でもCDを難なく再生できる。初期のCDプレーヤーから見れば，これは技術的にはすごい進化なのだ。

2.10 CDとハイレゾのまとめ

CDは読み取りエラーがたくさん発生して，音が悪くなっているというのはよく聞く説だが，真実は，そんなことが起きるのはよほど傷だらけのCDの場合だけで，オーディオファンが大事にしているCDでは，読み出しエラーによる音の劣化など，ほぼないと考えてよい。CDのフォーマットを超えるハイレ

ゾの音は，確かに素晴らしいが，時代遅れと思われているCDの音も，技術の進歩とともに，実はまだ良くなる可能性がある。CDの可能性のすべてを引き出すのは意外と大変だったのだ。たくさん集めたCDを大事にしていれば，再生技術の進歩で，いつか，いまよりはるかに素晴らしい音で鳴ってくれる日がくるかもしれない。もちろん，ハイレゾのほうが，ずっと高いポテンシャルを持っている。しかし，こちらも，技術上の理由で，どんどんサンプリングレートとビット数を上げれば，ますます良い音になるとも言い切れない。その時代の技術に最適なフォーマットがあるはずである。写真の世界では，カメラの総ピクセル数がカメラの価値のパラメーターになって，100万画素，200万画素，400万画素と年々増えて，ついには5,000万画素級まで行ったが，この数年では，実用感度とのバランスを取って，一般用では2,000万画素くらいに落ち着いてきたように見える。デジタルオーディオのサンプリングレートとビット数も，最適なところに落ち着いてくれることを期待したい。

3. SACDの科学と高音質の秘密

3.1 SACDとDSD

　CDの後継フォーマットとして1999年に登場したスーパーオーディオCD，SACDはその名のとおり，CDを上回る性能を誇る元祖ハイレゾフォーマットだ。SACDには，CDで採用されていたリニアPCMとは異なるデジタル記録フォーマットであるDSD（direct stream digital）が使われている。サンプリング周波数にあたるものは2.8224 MHzと高いのだが，記録ビット数は1ビットというものだ。

　SACDの音の良さは，聞いてみればすぐわかり，疑問の余地はないが，その音の良さの理由を理解するためにも，その原理を理解するところから始めよう。

　2章で考えたPCM，例えば「44.1 kHzで16ビット（65,536段階）の音を記録する」などというのに比べると，1ビットで変換するというDSDはどうもわかりにくい。

　1ビットA/D変換の原理のわかりやすい説明についてオーディオ書などを探しても，「1ビットパルスの疎密で音の大きさを表します」というのでは，原理がわかったようでわからない。そこで，文献6）の解説も参考に，筆者なりに説明を工夫してみたので，本章ではそれを説明したい。

3.2 SACDとDSDに関するQ&A

Q：CDに使われているPCM方式と，SACDに使われているDSD方式とは，原理的にどのような違いがあるのですか。

A：PCM方式は，それぞれの瞬間の音信号の大きさを，例えば16ビットで

あれば 65,536 段階の数字で直接表しています。だから一つのサンプリングデータだけでも，意味のある数字になります。一方，SACD の DSD 方式は，その直前の音信号に対して，「次の音信号ではその前の信号に対して音がどう変わるか」だけを 1 ビットで表します。したがって，信号が連続していて初めて音信号を再現でき，単独のサンプリングデータだけでは，意味のある数字になりません。DSD の優れた点は，その信号をアナログに直す方法が，きわめて単純な点です。差分が表されているので，その差分を次々に足し合わせ行くだけで（正確には積分するだけで），アナログ信号に直すのです。

3.3　1 ビット DSD による A/D 変換の概念

1 ビットの DSD でデジタル化することを，「$\Delta\Sigma$ 変調（デルタシグマ変調）」と呼ぶのが学術的には正しいが，いまは単に DSD 方式と呼んでおこう。1 ビットのデータの流れで音楽を表すので，ビットストリーム方式と呼ぶこともある。

どうやって 1 ビットだけで音声信号が記録できるのかを考えるため，以下のような，波形追跡ゲームを想像してみよう。これは，格子上を毎秒 1 マスずつ右に動いていく点を使って，**図 3.1** に破線で示したターゲット波形を，追跡する思考上のゲームだ。

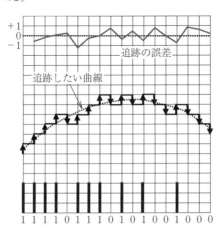

図 3.1　ビットストリーム方式（DSD）をイメージするための波形追跡ゲーム

56　　3. SACDの科学と高音質の秘密

　手元のリモコンには,「上」と「下」を指示するボタンしかないとする。1マス進むごとに1回ボタンを押さねばならない。

　ある格子点で,動点がターゲット波形より下にあったら,「上」のボタンを押す。すると動点は格子の一段上に上り,そこから右横向きに一つ進む。格子点で動点がターゲット波形より上にあったら,逆に「下」のボタンを押す。動点は格子の一段下に下り,そこから右横向きに一つ進む。

　「つづけて真横に二回進む」という選択肢はない。上か下かしか選べない。図には,上記の規則に沿って,できるだけ破線のターゲットに沿って動点を動かした結果が,矢印で示されている。上下にずれながらも,追跡したい破線を何とか追跡しているのがわかる。

　図の一番上には,ターゲットと動点の誤差だけを示してある。このゲームでは,ここに示した誤差ができるだけ小さくなるように,上か下のボタンを押していることになる。

　実は,これがDSDの元となる原理だ。SACDの場合は,上記で「1秒に一回」といったのが,2.8224 MHz,つまり2,822,400分の1秒に一回となる。そして,上のボタンを押すのがビット値=1を与えることで,下のボタンを押すのがビット値=0に対応する。

　図の最下段には,対応する0と1の配置,すなわちビットストリームの様子を示してある。

　この原理でビットストリームを作ると,追跡したい曲線の右上がり（傾きが正）の傾きが大きいとき,たくさん「上」のボタンを押すことになる。逆に,右下がり（傾きが負）のときには,「下」のボタンを押すことが多い。つまり,ターゲット波形の傾きが右上がりに大きいときに「1」が多いということだ。

　これは,よく言われている「DSDでは信号レベルの大きさをビットの疎密で表す」という説明と違う。つまり,上記に説明した方法では,「信号レベルが大きいとき」に1が多いのではなく,「信号レベルの変化割合（変化量）」が大きいときに1が多いということになる。

3.3 1ビットDSDによるA/D変換の概念

この「変化量」とは，数学的には追跡したい曲線を表す関数を微分したものことなので，この方法でA/D変換すると，「微分値」でパルスの疎密が決まる，ということがわかる。

そこで，DSDによるA/D変換では，入力波形を一度「積分」してから変換するという操作をしている。これによって，「信号レベルの大きさをビットの疎密で表現した」形式になる。

そのイメージを**図3.2**に示した。上の段が，入力アナログ波形を積分した波形。その下が元の入力アナログ波形だ（サイン波を積分してもサイン波の形は変わらない。左右に位置がずれるだけだ）。

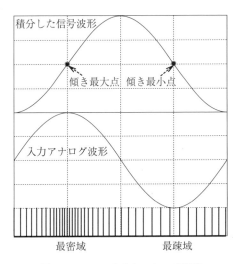

図3.2 パルス密度とアナログ波形

一番下にビットストリームの疎密を示す。積分した波形（上段）の傾きが最大の所でビット列は最も密に，傾きが最低のところで最も疎になる。

それは元の波形（中段）の最大値，最小値に，それぞれ対応しているのがわかる。これは，DSDのよくある説明のとおりだ。

このようにして，ΔΣ変調によるDSD信号は作られている。逆にDSD信号をアナログに戻すには，パルスの疎密に比例した信号を出す回路を構成すればよいことになる。DSDの原理を理解する助けにはならないのでここではその

詳細は省くが，興味がある方は，例えば文献3) を参照されたい。

ところで，図3.1の思考ゲームではボタンが「上と下」の二つしかなかった。これが4段階とか8段階とかあったら，さらに精度良く波形を再現できるのに，とは思わないだろうか。そのとおりで，SACDは1ビットであるが，$\Delta\Sigma$変調は，1ビットである必要はなく，実際に，5ビットとか6ビットなどで変調しているD/Aコンバーターもある。マルチビットとDSDの良いとこ取りの仕組みだ。波形精度が良くなるということは，すなわち，20 kHz以上も含めた全帯域でのノイズが減るということでもある。

> **コラム：ノイズシェーピングとDSD**
>
> $\Delta\Sigma$変調のように元信号を積分しないで，最初の波形追跡ゲームのように，そのままの信号を1ビット化してもよいのではないか，と思わないだろうか。実はその方式は「$\Delta\Sigma$変調」でなく，「Δ変調（デルタ変調）」と呼ばれる。前述の波形追跡ゲームは，実はΔ変調の原理そのものである。発明はΔ変調のほうが先だったのだが，この方式は可聴帯域でのノイズが多いことが欠点だった。そこで考え出されたのが$\Delta\Sigma$変調で，積分により，ノイズを高周波（20 kHz以上）の領域にシフトさせることができた。20 kHz以上の超音波帯域なら人には聴こえないし，ローパスフィルターでノイズは切ることができる。
>
> このようにしてノイズの周波数領域をシフトさせることを，「ノイズシェーピング」という。SACDの再生音は20 kHz以上でノイズが大きくなるが，それにはこのような本質的な理由があるのだ。

3.4　なぜSACDは良い音なのか

SACDはサンプリングレートが2.8 MHzだから44.1 kHzよりすごい，と簡単に言えるわけではないのは，わかっていただけたと思う。

一方，SACDでも「超音波が再生できるから音が良い説」は，広まっている。しかし，ハイレゾの時と同様，筆者はこれには疑問を持っている。もちろん，CDより音が良いことには何も疑問を持っていない。では，なぜ音が良いのか，筆者の考える理由を示そう。

20 kHz を 2.8224 MHz の DSD で表すと，どんな波形になるかを考えてみる。2.8224 MHz の周期は 0.0003543 ミリ秒なので，20 kHz の周期である 0.05 ミリ秒の間に約 140 回のサンプリングがある。図 2.2 で示した 44.1 kHz の PCM では，1 周期に 2 回しかサンプリングがなかったわけだから，DSD では時間方向にはずいぶんと細かいデータになった。

その代わり，ビット数は 1 ビットで，先ほどの思考ゲームで学んだように，1 サンプリングごとに，たかだか 1 ステップしか信号レベルは変わらない。

20 kHz のサイン波が，ゼロから最大値になるのは 1/4 周期，0.0125 ミリ秒かかる。その間には 35 回（140 の 1/4）のサンプリングしかないから，この間に変えられるレベルは，最大でも 35 段階だろう。

16 ビットの PCM なら時間方向は非常に粗くても，サンプリング点での階調は 65,536 段階もあった。2.8224 MHz の 1 ビット DSD は，44.1 kHz の PCM に比べて，時間方向には高精度，階調方向には低精度，ということになる。

それがどういう波形を再現するのかを予想するために，時間方向に 35，階調方向にも 35 段階でサンプリングした 20 kHz の波形のイメージを 1/4 周期だけ示したのが，**図 3.3** だ。

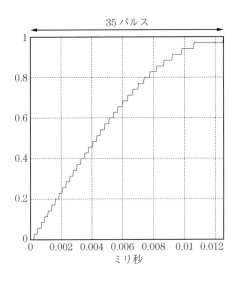

図 3.3　2.8224 MHz-DSD による 20 kHz 波形の予想図。ゲームで学んだように 1 ビット DSD では真横に進むという選択肢はないので，この図の頂点のあたりは正確には描かれていない。

この波形を，図2.2の44.1 kHzサンプリングのPCMの波形と比べてどう思われるだろうか。細かく比較するまでもなく，高域の波形再現精度は，DSDのほうが圧倒的に良さそうではないか。

15 kHz，10 kHz，あるいは5 kHzでも，程度の差こそあれ，波形再現精度はDSDが優れているに違いない。そしてPCMで学んだ再生時のビートも，可聴域に出ることはない。筆者は，これこそがSACDの音が良い理由だと思っている。

PCMでのサンプリング点を矩形波や直線でつなぐという方法でD/A変換するのと比較するなら，2.8224 MHzの1ビットDSDは192 kHzのPCMくらいの波形再現精度がありそうだ。ただし，2章で説明したように，PCMでもD/A変換でのサンプリング点数を長く取れれば，必ずしもそうは言えないかもしれない。PCM vs DSDの結果は，実はD/Aコンバーターの性能にもよるということになる。

SACDの添付説明書には，いまでも「録音周波数を100 kHzまでも拡張し…」という説明がついていることがある。「音楽信号が100 kHzまで入っています」とは書いていないところが巧みな言い回しで，間違いではないし，高性能をアピールしたい気持ちもわからなくはないのだが，いささか誤解を誘導する言い方でもある。実際のところは，本章の中で説明した$\Delta\Sigma$変調に必ず伴うノイズシェーピングによって，SACDの信号は20 kHzを超えた範囲ではノイズが上昇していて，決して100 kHz（10万 Hz）まで再生できます，と言える状態ではないことが知られている[3]。

実は，SACDからの再生音は，これらの高周波ノイズ含めてローパスフィルターでカットされていて，たかだか4〜5万 Hzまでしか再生されていないのが真実である。

しかし，SACDを聞いてみればCDを超える明確な音の差があるのは確かで，それも「可聴域」で明らかに優れている。これを「超音波のおかげ」と飛躍するのは，やはり科学の作法に沿わないように思う。そもそも，前述のSACDにおけるノイズシェーピングは，20 kHz以上のノイズは聴こえないことが前

提だから，もう一方で，超音波に高音質の理由を求めるのでは，自己矛盾に陥ってしまう。

ここでも，波形再現精度を比較すれば，SACD の優位は非常に明らかなので，PCM のハイレゾと同様，可聴帯域での波形再現性の高さこそが，SACD の音がいい理由でなかろうか。「なぜだかわからないが超音波が聞こえる」という仮説は不要なのだ。

コラム：DSD には弱点もある

2 章のコラムでも紹介したように，昨今の D/A コンバーターでは，PCM 信号もすべて一度 DSD に変換されて処理されているものが多い。それならば，初めから DSD でディスクに記録しておけば D/A 変換がシンプルではないか，ということから DSD 記録の SACD が企画された。昨今では，DSD 配信のハイレゾ音源もある。

そんな便利な DSD ではあるが，弱点もあることを知っておきたい。いったん DSD にしてしまったら，マスタリングにあたる操作は何もできないのだ。チャンネルミキシングはおろか，原理的にレベルの調整さえできない。だから，マスタリングプロセスでは PCM でやっていることがほとんどのはずだ。古い録音ならアナログの段階でマスタリングを行っているのかもしれない。いずれにしても DSD にした後では，何もできなくなる。

だから，ユーザー側での D/A 変換が簡単な DSD は，音楽データ提供のフォーマットとしては大変優れているが，音楽データの製造過程を全部 DSD にするのは，少なくとも合理的とは思えない。PCM を用いた現代の DSP（digital sound processing）技術の力を借りないなんて，それこそ科学の作法ではなかろうと筆者は思うのだ。

なお，DSD をデジタルのまま入れられるグラフィックイコライザー等もあるが，原理的に周波数特性の調整は DSD のままでは行えないから，内部処理は必ず PCM に変換してから行っているはずだ。ユーザーが知らなくてもよいことなのかもしれないが，科学の作法に沿うオーディオを目指すなら，正しく認識しておかないわけにはいくまい。

最後に，SACD やハイレゾ配信に対する筆者の期待を述べておきたい。1980年代には，晩年のカラヤンの演奏をはじめ，かなり良い録音が 44.1 kHz, 16 ビットのフォーマットで残っているはずだが，単純に「それはハイレゾでない」という理由で SACD 化されることはまれだ。これは非常に残念に思っている。もっと古いアナログ録音を SACD 化するのが大流行だが，私は，1980 年代の名録音も，プロ用の高性能 DAW (digital audio workstation) を使って 44.1 kHz, 16 ビットの性能を最大限引き出してフォーマットを変換し，SACD 化やハイレゾ化してほしいと切に願っている。家庭用の CD プレーヤーの D/A 変換に現状では精度の限界がある以上，そのまま CD プレーヤーで聴くよりずっと良い音になる可能性があると思うからだ。

稀な例として，オーディオメーカーのエソテリックが企画したコリン・デイヴィスのベートーベン序曲集（1985 年の 44.1 kHz, 16 ビット PCM 録音）の SACD/CD ハイブリッド盤がある。聞いてみると SACD 層の音は CD 層よりはるかに高域が滑らかで，SACD の魅力を十分に持っていた。その解説書のなかで，著名な録音エンジニアかつオーディオ評論家の菅野沖彦先生は，この SACD 化の価値判断はユーザーにゆだねたい，とおっしゃっていた。筆者の答えはもちろん「その価値あり」だ。こういう SACD やハイレゾ音源が増えてほしいものだ。

3.5　SACD と DSD のまとめ

SACD や DSD の音は確かに素晴らしい。CD に比較するなら，とりわけ高域の波形再現性に優れている。しかし，十分なサンプリングレートがあるハイレゾに比べるなら，DSD だというだけで音が良いとも言い切れない。DSD の利点は，あまり手間をかけずに（つまり複雑な回路や演算を用いずに）アナログに変換できることである。一方，デジタルデータとしては，DSD のままでは音量調整さえもできず，PCM のほうがはるかにフレキシブルである。それぞれの特長を最大限に活かすというのが正しい使い方だろう。上手な使い方が求められよう。

4. 室内音響の科学

4.1 音響調整が必要なわけ

　ここでは，まず室内音響特性とは何か，どのように決まるかを考える。そして，その音場をいかに調整するかも考えてみたい。

　スピーカーの配置や聴取位置で，聴こえる音の特性は非常に大きく変化する。逆に考えれば，配置を工夫することで，お金をかけずに特性を改善できる可能性もあることになる。4.6 節以降では，積極的に特性を調整するグラフィックイコライザー（GEQ）のことにも触れるが，GEQ を入れるにしても，まず配置の工夫により部屋の特性をある程度まで整えておくことは必須条件である。GEQ は素性の良い特性と組み合わせてこそ威力を発揮する。

　室内音響の調整の目的は，周波数特性をフラットにすることとは限らない。むしろ，周波数特性が右肩下がりに高域に向けて少し下がっていくほうが良い音になるという指摘もある[8]。これは筆者も同感だったが，とはいえ，低域が豊かなほうが良い音と思うかは個人の趣向の問題でもある。また，周波数特性に多少の凹凸があったほうが，好みに合う音かもしれない。これらの点でオーディオ道の正解はなく，人それぞれでよい。

　しかし，ステレオで聴いている以上，「左右のスピーカーから聞こえる音の音響特性が違ってもよい」というのは正当化できまい。あなたの部屋の音は本当に左右対称だろうか。これだけは共通の正解がある。
「左右はできるかぎり同じ特性でなければならない。」
　この点に反対する人はいないだろう。しかし，それを達成できている人は，実は少ないはずだ。なぜなら部屋にはたいてい何かの非対称性があるからだ。

　スピーカーケーブルを，左右でぴったりおなじ長さに配線することにこだ

わっていないだろうか。それが悪いということではない。しかし、もしそうなら、そのこだわりは、部屋の特性にも向けたほうがよい。部屋の音響には、スピーカーケーブルの長さの差などよりはるかに大きな左右差があるものだ。最も大きな影響があるものから対策するべきだろう。

筆者は、その調整のために、GEQを導入している。しかし、そこで行っているのも「いかに左右をそろえるか」であり、特性をフラットにしようとはしていない。さらに、本章後半に示すように、実は、フラットにすることが、科学的にも正解ではない場合もある。

GEQを入れるかどうかは個人の主義であって、入れなければならないと言うつもりはないのだが、一方で、GEQがまったく不要なほどの理想的な部屋で聴いている方も、ほとんどいない気はする。室内音響を正しく調整してから新しい機材を入れれば、その新機材もさらに威力を発揮しよう。室内音響の調整は、アンプやスピーカーなどのアップグレードの代わりにはならないが、その土台を築くのに役立つのだ。

4.2 室内音響に関する Q&A

Q：大型スピーカーを使っていますが、超低域（50 Hz 前後）の不足に悩んでいます。スピーカーの位置をいろいろと動かしてみましたが、うまくいきません。どうすればよいでしょうか。

A：100 Hz 以下の低域の特性は、部屋の定在波でほぼ決まってしまうので、スピーカーの位置を動かすより、聴取位置を前後に変えるほうが大きく変えられます。一方、100 Hz 前後以上の低域なら、スピーカーの後側や左右の壁との距離を変えることで調整することができます。

Q：部屋の定在波が問題だと聞きます。定在波はすべてに対策をしないといけないのでしょうか。

A：定在波は、とびとびの周波数で存在していますが、一般家庭程度の大きさ

の部屋では，周波数が200 Hzを超えると，非常に多数の定在波が存在します。このような定在波密度が高い領域では，多くの定在波が周波数特性を均（なら）しあうので，あまり対策は重要ではなくなります。一方，100 Hz以下の定在波では，単独でとびとびに定在波が存在するので，周波数特性が大きく乱れるのです。結論だけを言えば，200 Hz以下の定在波を考えておけば十分でしょう。

Q：オーディオ専用のリスニングルームを作れば，定在波による影響がない部屋にできるのでしょうか。

A：適切な設計のリスニングルームは，良い音の基盤を提供する点で，非常に有意義です。しかし，一般家庭で作れる大きさの部屋では，その最低共振周波数が，可聴帯域（20 Hz以上）にあるはずなので，定在波（部屋の共鳴）による低域特性の大きな乱れから逃れるのは，ほとんど不可能と言えます。

Q：16ビットのPCM信号（CDなど）をデジタルイコライザーで調整すると，調整時に1ビット以下の小数が切り捨てられて，精度が16ビット以下の信号になる気がします。

A：そうではありません。デジタルイコライザーの内部演算は，PCMデータを，浮動小数点という数字にいったん変換して計算し，最後にPCMに戻すという操作をしていますので，16ビットの精度は有効に生かされます。

4.3 定在波の特性

　部屋の音響に最も悪影響を及ぼすのが定在波だ。定在波とは，部屋の平行した面（天井と床，前後の壁，左右の壁）の間で，ある周波数の場合にちょうど共鳴（共振）が起こる現象だ。

　実は，向き合った面だけでなく，部屋の縦横などが同時に関係する2次元の定在波や，縦・横・高さの三つが同時に関係する3次元の定在波もある。2次元，3次元の定在波の描像はイメージしにくいが，文献8）に非常にわかりや

すい解説があるので，ぜひ読まれることをお勧めしたい。部屋の音響学的特性についてもよく書かれていて非常に参考になる。

定在波の詳細は文献8）に譲ることとし，本書では部屋の特性を理解するのに必要な最小限の知識だけを紹介しておくことにする。これだけで，オーディオファンには敬遠されがちなGEQを使った部屋の補正の必要性と効用もわかるようになる。

まずはじめは，最もわかりやすい1次元定在波で考えることにしよう。

音の波長は，音速をその周波数で割った数字なので

波長＝音速(約340 m/秒)÷周波数

である。

周波数を低いほうからだんだん高い音に上げていくと，最初に共鳴が起こる周波数は，部屋の平面間の距離が，その音の波長の半分の長さになった時だ。これを1次モードといい，その周波数を最低共振周波数または基本周波数という。記号をf_1としておこう。この1次モードは，1次元の定在波とは違うので注意されたい。1次元の定在波の種類として，1次，2次，3次，…のいろいろなモードがある，ということである。

図4.1は，部屋の向き合った面に1次元の定在波が立った場合の音圧分布

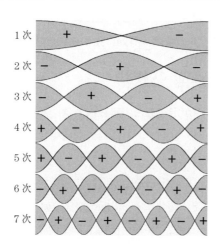

図4.1 1次から7次までの定在波（1次元の場合）

を示したものだ。一番上が1次モードで，平面間の距離が波長の半分になっているときである。図から，入射波と反射波がうまく増強しあって，壁間で共鳴している様子がわかるだろう。これが部屋の共鳴，すなわち定在波だ。その名のとおり，この音圧分布はじっとしていて動かない。部屋の中を移動すると大きな音の場所とほとんど音が聞こえない場所があるということだ。体験してみると，とても興味深い。

音の高さがさらに上がっていくと，次に共鳴を起こすのが図の上から二番目の状態，2次モードだ。この場合，平面間の距離が，ちょうど波長と同じになる。その周波数は基本周波数 f_1 の2倍になる。

次に起こるのが上から三番目で，周波数は f_1 の3倍である。以後，f_1 だけ周波数が上がるたびに，共鳴が起こる。順に，1次モード，2次モード，3次モード，…と呼び，図では7次モードまで示した。それぞれの周波数は，f_1，その2倍，3倍，4倍，5倍，6倍，7倍　というように高くなっている。

共鳴周波数 f を式で書いておくと，音速を340 m/秒とし，平面間の距離を L 〔m〕，モード次数を N とすると

$$N \text{次モードの周波数} f(N) = 340 \frac{N}{2L} \text{〔Hz〕}$$

である。L は左右，前後の壁間距離や天井の高さを入れる。筆者の部屋を例として前後（縦）4.65 m，横幅3.85 m，高さ2.37 mの部屋とすると，前後方向，横方向，高さ方向の基本周波数（$N=1$）は，それぞれ，36.6 Hz，44.1 Hz，71.7 Hz となる。それぞれの方向で，この整数倍の周波数で定在波が発生することになる。

これらの共鳴は，高い周波数でどこまででも顕著なわけではなく，次数 N が大きくなり，周波数が高く，波長が短くなっていくにつれて，多数の共鳴が干渉したり，部屋の中の凹凸部（家具や柱など）の影響で共鳴ピークがなまったりしてわかりにくくなっていく。

したがって，定在波の影響が顕著なのはおおむね200 Hz以下であり，様々な問題を発生する共鳴は，高くてもたいていは300 Hz前後までであることが

多い。音響学の分野でも，共鳴などが問題となる低周波として取り扱うのは，おおむね 500 Hz くらいまでである[13]。

ただし，比較的高い周波数でも，複数の共鳴がたまたま同じ周波数に重なったりしていると，聴感上は非常に顕在化することがありえる。これは部屋の微妙な条件によるので，実測してみないとわからない。

コラム：3 次元での定在波の式

上記の共鳴周波数の式は簡単のため，1 次元（ある 1 方向のみ）で考えている。正しく 3 次元（縦横高さがある立体）で共鳴周波数を書くと以下のようになる。まず，縦横高さの各モード数を N_x，N_y，N_z とする。縦横高さそれぞれの長さも，L_x，L_y，L_z とする。3 次元でのモード数は，縦横高さの順に括弧に入れて書き，$(N_x, N_y, N_z) = (1, 2, 3)$ のように表現する。それぞれのモードの共鳴周波数 f は，2 次元，3 次元の共鳴も含めて，以下の式になる（式の導出は，少し難しいが，例えば文献 10））。

$$f(N_x, N_y, N_z) = \frac{c}{2}\sqrt{\left(\frac{N_x}{L_x}\right)^2 + \left(\frac{N_y}{L_y}\right)^2 + \left(\frac{N_z}{L_z}\right)^2}$$

c は音速で約 340 m/秒だ。$N_y = N_z = 0$ を入れれば，先ほどの 1 次元の式と同じになる。

定在波というのは何回かの反射で同じルートに戻ってくると，そのルート長さにあった波長が定在波となる。1 次元の定在波は，パイプオルガンのパイプの中の共鳴のようなイメージで，わかりやすい。いつもパイプに沿っているから，パイプの長さに沿った共鳴が起こる。

2 次元以上の定在波はいささか想像しにくい（非常にうまく説明する図が文献 8）にある）。2 次元定在波では，平面波が数回の反射で初期の状態に戻るルートを繰り返す（つまりそのルート長で共鳴する）動きがあらわれる。3 次元はさらにイメージしにくいが，2 次元定在波からの類推で想像いただきたい。部屋をめぐって戻ってくるルートを見つけて，定在波が立つのである。

以下の説明では，1 次元，2 次元，3 次元の共鳴と，N_x，N_y，N_z の値の次数（こちらも 2 次，3 次などいう）とを区別するため，1 次元モードの場合に限り，後者の N 値に応じて，1 次元の #N モード（N が 2 なら #2 モード）と呼ぶことにする。ただし，3 次元まで考えるときには，(N_x, N_y, N_z) を示して，(1, 1, 1) モードなどと呼ぶ。

図 4.2（a）は，縦 4.65 m，幅 3.85 m，高さ 2.37 m の部屋を例に，20 Hz 〜 400 Hz の間の定在波の分布密度と周波数特性の関係を示す例だ。3 次元まで含めたすべてのモードの分布を示す。線密度が濃いところほど，たくさん定在波がある。

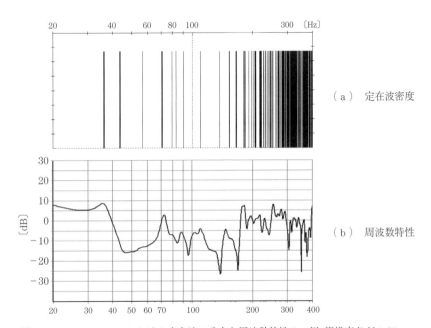

図 4.2 20 Hz 〜 400 Hz における定在波の分布と周波数特性の一例。縦横高さが 4.65 m，3.85 m，2.37 m の部屋の中央から少し後ろで聴いた場合。図（b）は，Stndwave2 による聴取位置での周波数特性のシミュレーション（聴取位置で特性は変わる）。

図（b）は，部屋の周波数特性を計算するフリーソフトウエア Stndwave2 を使って，同じ部屋の周波数特性を計算した例である。プログラムの原理などは，文献 8) に詳しい解説がある。Stndwave2 はフリーソフトで，Web サイト†から入手可能である。@nifty Audio & Visyual Forum のメンバーである神野久司氏と minn 氏が開発したもので，アマチュアに使いやすくできたソフトだと思う。改めて Windows 10 でも動作を確かめてみたが，特に問題はなかった。

---

† http://hoteiswebsite.c.ooco.jp/room/download/001.htm （2018 年 8 月現在）

4. 室内音響の科学

以下で示す周波数特性の計算結果は、部屋のサイズだけでなく、スピーカーの位置や試聴位置で異なるので、周波数特性そのものは、一例と考えていただきたい。ここで見ていただきたいのは、図（a）の定在波密度と、図（b）の周波数特性の乱れの関連性である。

このようにおおむね 200 Hz 以下では定在波は比較的散在しているが、200 Hz を超えると定在波の数は急速に増えてくる。実際にはごく近隣の定在波は相互に影響するから、200 Hz を超える領域では影響は平均化されることが期待できる。

実際に、図（b）の周波数特性（部屋の中央より少し後ろの位置で聴いた場合の一例）を見れば、200 Hz 以上は、割と細かな変動に抑えられていて、定在波の影響が均されている効果が見て取れる。

一方、200 Hz 以下では、個々の定在波が大きな影響がある。ピークや谷（ギャップと呼ぶ）に対応している定在波があるのがわかるだろう。

一番低い定在波（36.6 Hz）は、前後方向の 1 次元定在波、#1 モードだ。図下段のとおり、これによって 40 Hz 以下の低域が増幅されているのがわかる（さらに低い 30 Hz 以下の領域のレベルが上がっているのは、共鳴によるのではなく、部屋の長さよりはるかに長い波長の音は往復反射で増強されるという物理現象を反映している。ただし、実際はスピーカーの周波特性が超低周波帯域では落ちるから、大きな音にはならない）。

一方、見方を変えれば、この最低次の定在波は、低域の増強にも利用できる。50 Hz 以下の低域では、波長が非常に長く（50 Hz の場合で 6.8 m）、定位がまっ

コラム：コンサートホールと家庭の部屋との差

コンサートホールは非常に大きいため、可聴帯域（20 Hz 以上）で、すでに定在波密度が高い領域になっている。そのため、比較的反射率が高い壁で構成され、長い残響音を持っているにも関わらず、定在波による影響は、一般家庭の部屋とはまったく異なる。よって、一般家庭の部屋では、コンサートホールとはまったく異なる対策が必要なのである。

たくわからないので，その点では定在波をうまく利用して低域を豊かにすることもできるわけだ。

図4.1に戻って，定在波の小さくなっている点は定在波の「節」，太くなっているところは定在波の「腹」という。節の部分にリスナーの耳がくると，この周波数の音は極端に小さく聞こえる。逆に，腹の部分に耳がくると，非常に大きな音を聞くことになる。したがって，定在波の影響は，高さ方向も含めて，聞く位置によることを忘れないようにしたい。

図4.2の周波数特性で，周波数特性の谷と定在波が対応しているときは，定在波の節付近に耳に対応する計測点があったことを示している。

逆に，周波数特性のピークと定在波が対応しているときは，耳（計測点）が定在波の腹の位置にあったことになる。

壁際に立ったり，寝転がったりして聞くと，やたらと低音が大きく感じないだろうか。これは，図4.1にも示したとおり，壁や床では，定在波は必ず腹になるからだ。また，天井高が3mなど，通常の家屋の2.4m程度よりずっと高いと，上下の1次定在波の周波数が下がると同時に，その節が座った時の耳の位置よりずっと上に行くので，低域は豊かになる。「天井が高いと音が良い」といわれる理由の一つだ。

図4.1の中に書いてあるプラスとマイナスは，それぞれの領域の位相を相対的に表す。マイナスの領域の音は，プラスの領域とは「位相が逆」になっている。この位相差は，オーディオの調整で重要性を指摘している例を，筆者は見かけたことがないが，定在波の調整過程で，この位相差はかなり重要になる。

4.4 補正してもよい節といけない節

部屋の周波数特性は，それを電気的に補正するグラフィックイコライザー（GEQ）なる機材を用いると積極的に補正することができる。その使い方は後述するが，ここでは補正してはいけない定在波があることを述べておこう。

GEQを備える機材には，自動測定・自動補正をしてくれる機能をもったものも多い。ところが，それを使って周波数特性を滑らかにしたら，測定結果で

は素晴らしい特性になったのに，何か音が，特に定位や音場感がおかしい，という話は少なからず聞く。

多少のデコボコを残したほうが自然な音場に感じたので，補正を緩めたとか，GEQを入れると音が悪くなるのでやめた，という話もよくある。筆者もGEQを使って，気になる特性の凸凹をできる限り補正し，特性的には滑らかで，かつ左右がよくそろったのに，何か定位がおかしいなあ，という経験をした。

そこで理由をGEQの性能に求め，GEQはだめだという結論に達することも多いようだ。しかし，その結論は本当だろうか。フラットな特性が音の好みに合わないことはあっても（筆者もその一人だ），特性をフラットにして左右の特性もそろえたのに，「定位がおかしい」というのは不思議ではないか。

これには，何か理由があるはずだ。そこで，筆者なりに，「徹底的に周波数特性を補正したら何か定位や音場感がおかしくなる」理由を探求してみた。その結果が，本節の内容だ。周波数特性の測定結果だけで完璧に補正すると，確かに，悪くなる要素があるのだ。

耳が定在波の節にあると音は小さく，腹にあると音は大きくなる。これによって周波数特性には極端に大きな高低差が出るので，聴く位置で節になる定在波ではGEQのゲインを上げ，腹になるならゲインを下げて周波数特性を滑らかにする。これが普通の考え方だろう。それは方向としておおむね正しいのだが，補正してはいけない節があることを以下に説明したい。これは自動補正で，何かおかしい，ということになる理由ではないかとも思っている。

1）超低域の大きな定在波

昔から言われていたこととして，節だからといって，あまりブーストするとウーハーに負担がかかったり，部屋がびりびり振動したりするので，ブーストは控えめにすべき，というのがあった。これは正しい。なぜかというと，音が小さいのは「節の位置に耳がある」からで，それでも十分に大きく聞こえるようにブーストしてしまったら，実はスピーカーはすごい音響エネルギーを出していることになる。へたをするとスピーカーを壊してしまうことさえあるから，100 Hz以下の低域では特に気を付ける必要がある。

2） 両耳で位相が反転している定在波

筆者が定位感，音場感に大きな影響があることを特に指摘したいのがこれだ。1）で指摘した低域は，定位や音場感にはあまり関係ない。問題は，200 Hz ～ 300 Hz あたりの領域にあった。

図 4.3 には，横方向の定在波と耳の関係を示している。部屋の中央で聴いていることを前提とすれば，偶数次モードでは，必ず腹で聴くことになり，音は非常に大きくなるだろう。この場合，図（a）のように，音は大きいが，左右の耳で聴いている位相は同じだ。定在波である以上，音が右スピーカーから出ようが，左スピーカーから出ようが，立つ定在波は同じなので，音像は中央に定位することになり，残念ながら定位感はあまりないのだが，偶数次モードでは少なくとも聞いている位相は左右で同じだ。

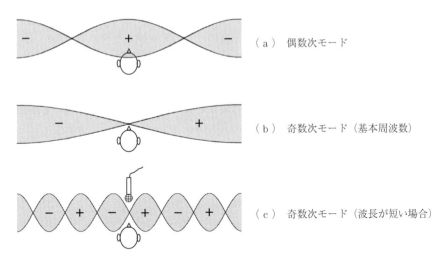

図 4.3 偶数次モードと奇数次モード定在波と耳の位置関係

一方，奇数次モードの場合，部屋の中央は必ず節になる。そして，左右の耳には位相が逆の音が聞こえていることになる。図（b）や図（c）の状況だ。

図（b）は基本周波数での共鳴の場合だ。この場合，確かに位相は左右で逆の音が聞こえるが，耳と節との距離が，波長に比べて小さいので，耳に小さな音しか聞こえていないだろう。左右の耳で位相が逆でも，それほど気にならな

いことになる。

　ところが，周波数がだんだん上がって，波長が短く，つまり定在波の節と腹の間の距離が短くなってくるとどうだろう。多くの方は，測定用マイクロホンを，頭の中央，両耳の中間で測っているのではないだろうか。ここは節だから，そこでの音圧は小さくなる。しかし，図（c）のような波長の定在波であれば，実は耳の位置ではかなり大きな音が聞こえていて，しかもその位相が左右で逆だ。

　それにもかかわらず，マイクロホンでの測定結果（音が小さいと出ているはず）を信じて，この周波数帯を多少でもブーストしてしまったら，ただでさえ既に大きい，しかも左右で位相が逆の音を，わざわざ増幅していることになる。

　位相が左右で逆の音は，まさに，何か「奇妙な音」「気持ちが悪い音」なのだ。モノラル信号を入れて左右の音の大きさを同じにしても，左右で位相が逆だと定位は中央に感じないこともある。人間は「音の方向感」を決めるにあたり，位相差（時間差）も考慮しており，それを音量差より優先して感じることがあるからだ[2]。

　このようなことが起こる周波数帯は波長が長い低周波ではなく，波の半波長が両耳間の距離（20 cm くらい）に近づくほど，ますます強い影響が出ると予想できる。それだけでいえば，800 Hz 前後（半波長が約 20 cm）が問題となるはずだが，先に示したとおり，200 Hz を超えると，大量の定在波が干渉するので，単独の定在波の影響は緩和されることが多い。

　したがって，まず気にしておくべきは，余裕を見て，おおむね 100 Hz から 300 Hz くらいの間にある，左右方向の奇数次モードの定在波ということになる。

　図 4.4 には，400 Hz 以下の左右方向の奇数次モードの定在波周波数を示した。幸いにも数は限られる。ただし，これは図 4.2 で仮定した部屋の条件（幅 3.85 m）の例であり，部屋の幅によって異なるのはいうまでもない。

　4.3 節の式の L に部屋の幅を入れて，共鳴周波数を求める必要がある。

$$N 次モードの周波数 f(N) = 340 \frac{N}{2L} \ \text{〔Hz〕}$$

4.4 補正してもよい節といけない節　75

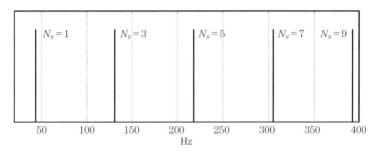

図 4.4 左右方向の奇数次モードの定在波周波数の一例（部屋幅 3.85 m の場合）

図 4.5 に，部屋の幅が 2 m から 5 m の場合の奇数次モードの共鳴周波数を読み取れるグラフを載せておいたので，参考にされたい。

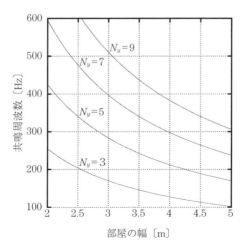

図 4.5 任意の部屋幅による奇数次モードの共鳴周波数を読み取れる図

実は，2 次元，3 次元の定在波でも左右の耳で位相が反転していることがあるので，図 4.5 だけでは不十分な可能性がある。しかし，そこまでつぶそうとすると，4.9 節で解説する発振器を使ってスキャンしていく方法しかなさそうである。筆者の経験からは上記の 1 次元定在波だけ気にしておけば大丈夫そうではあるが，これももちろん部屋の条件によるだろう。

4.5 スピーカー配置や聴取位置による周波数特性変化

Stndwave2 を使って，聴取位置やスピーカーの配置を変えたときに，どのように変化するかを，理由も考えながら見てみよう。ここでも，部屋の縦，横，高さがそれぞれ, $4.65\,\mathrm{m}, 3.85\,\mathrm{m}, 2.37\,\mathrm{m}$ の例で考えている。これは一例であって，特性そのものは部屋による。それゆえ，これは，何が起こるかとその理由を考える例題である。

まずこの部屋の定在波を整理しておこう。低域でとりわけ問題となる 100 Hz 以下の定在波をまとめたのが**表 4.1**だ。縦（4.65 m）を X, 横（3.85 m）を Y, 高さ（2.37 m）を Z と方向を取っている。

表 4.1 100 Hz 以下の定在波の計算例。同様の計算は Stndwave2 の「計算」オプションでも実施可能（ただし，本書の定義とは 3 方向の順序が異なるのに注意）。

(N_x, N_y, N_z)	Hz	(N_x, N_y, N_z)	Hz
(1, 0, 0)	36.6	(0, 1, 1)	84.1
(0, 1, 0)	44.1	(2, 1, 0)	85.5
(1, 1, 0)	57.3	(0, 2, 0)	88.2
(0, 0, 1)	71.7	(1, 1, 1)	91.8
(2, 0, 0)	73.2	(1, 2, 0)	95.5
(1, 0, 1)	80.5		

最低共振周波数は一番長い縦方向に立つ 1 次元定在波（前後モード）の #1 (1, 0, 0) だ。次が横方向の 1 次元定在波（左右モード）の #1 (0, 1, 0) だが，その次は縦方向の 2 次元定在波 (1, 1, 0) が，57.3 Hz というかなり大事な帯域に入ってきている。また 70 Hz を少し超えたところに，上下モードの 1 次元定在波 #1 (0, 0, 1) の 71.7 Hz と，前後の 1 次元定在波の #2 (2, 0, 0) の 73.2 Hz の二つの共鳴周波数が近接して存在している。このように二重の定在波があると，たいていは厄介なことになる。この部屋に立つ定在波のイメージを**図 4.6** に示しておく（75 Hz 以下の定在波だけを示した）。

4.5 スピーカー配置や聴取位置による周波数特性変化　77

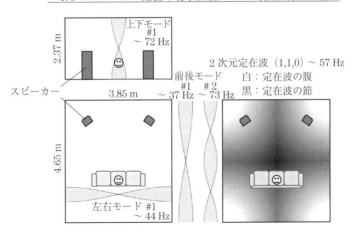

図 4.6 部屋に立つ定在波のイメージ図（75 Hz 以下のものを表示）

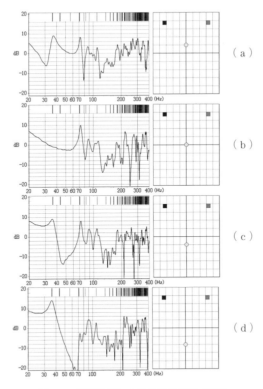

図 4.7 試聴位置による周波数特性の変化
（Stndwave2 によるシミュレーション）

78 　4．室内音響の科学

　図 **4.7** は，スピーカーは固定して，この部屋の中央で聴取位置を少しずつ後ろにずらしていった場合の周波数特性の変化だ．スピーカーは■で，聴取位置は●で示されている．この図 4.7 では，定在波が問題となる 400 Hz 以下のみを示している．また，図 4.2 で示した定在波の分布図も，小さくして各特性の上に貼ってあるので，どのような定在波がどのように周波数特性に影響しているかが見やすいだろう．まず注意したいのは，部屋の周波数特性というのは，聴く位置で変わるという点だ．だから，どこで聴くかは非常に重要なのだ．

1）聴取位置による特性変化

　図 4.6 を参考にしながら，図 4.7 に示した聴取位置による特性の変化を，低周波側から見ていくことにしよう．

　一番低い前後モードの #1 (1, 0, 0) の 36.6 Hz は，図 4.7（a），（c），（d）でははっきり見えているが，部屋の前後中央では節だから，図（b）のように中央で聴くと消えてなくなる．

　左右モードの #1 (0, 1, 0) の 44.1 Hz は，この例では部屋の左右の中央が聴取位置なので，いつも節の位置で聴いていることになるから，どの聴取位置でも音圧を下げるように働いている．もちろん左右にずれれば効果は変わる．

　57.3 Hz には (1, 1, 0) の 2 次元定在波がある．図 4.7 でわかるように，このモードは，50〜60 Hz 付近の低域に非常に大きな影響を与えているのがわかる．

　上下モードの #1 (0, 0, 1) と前後モードの #2 (2, 0, 0) が重なる 72 Hz 付近は，やはり，非常に厄介な特性を常に示している．図 4.6 のとおり，前後モードの #2 (2, 0, 0) は，部屋の前方と後方とに節がある．この (2, 0, 0) の後方の節と，(0, 0, 1) による節が重なる付近に聴取位置をとった図 4.7（d）では，70 Hz 付近以下で特性は急落する．その一方で，前後モードの #1 (1, 0, 0) のために 50 Hz 以下は急上昇．低域は出ないのに，超低域はボンボンとかぶる，という駄目な聴取位置，ということになる．50 Hz〜70 Hz 付近も，ここまで低域が落ちると，イコライザーを使っても，補正しようがない．

もし，グラフィックイコライザー（GEQ）による補正を前提に考えるなら，図 4.7（b），つまりおおむね中央付近に聴取位置をとり，72 Hz のシャープなピークを同様のシャープさのバンドパスフィルターで落とす，というのが最も良い低音が得られる方法に思える。さらにそれより下の低域の出方は，聴取位置を前後にずらすと調整可能ということになる。

図 4.7 でもう一つわかることは，100 Hz を超える範囲は，聴取位置の変更では，大きく変えることはできない，ということである。これらを変えるのに有効なのは，次に示すスピーカーの配置になる。

2） スピーカーの前後位置での変化

図 4.8 には，聴取位置は固定して，スピーカーの位置を正面の壁際から少

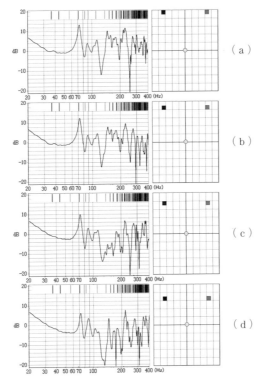

図 4.8 スピーカー前後位置による特性変化
Stnswave2 によるシミュレーション

しずつ手前に出してきた場合の特性変化を示す。

　まず、この図でわかることは、聴取位置が決まれば、100 Hz 以下の超低域は、スピーカーの配置を変えたところで大して変わらないということだ。部屋の定在波は、部屋の形状だけで決まり、スピーカー（つまり音源）がどこにあろうと、定在波はほぼ変わらない。だからスピーカーの配置で特性が変化しない理由は理解できよう。

　一方、100 Hz から 250 Hz のレンジを見ると、スピーカーの位置で結構変わっている。これは、スピーカーから後ろ向きに進んだ音波が、前方の壁で反射して、聴取位置まで到達する反射波が関係している。スピーカーとその後ろの壁との距離の 2 倍が、つまり壁で反射してスピーカーの位置まで戻ってくるための距離が、波長にちょうど一致する音波は、戻ってきた時にはスピーカーから出る音と位相がちょうど同じになってスピーカーの音を 2 倍に増強する。よって、この周波数は持ち上がってくる。スピーカーと壁との距離によって、この持ち上がる位置を変えることができる。

　壁との距離を 1.0 m とすれば、それが半波長になる周波数は、170 Hz である。一方、その半分の周波数の 85 Hz では、壁との往復が半波長になるため、反射波とスピーカー音はキャンセルすることになって、音量が減衰する。

　したがって、前面の壁とスピーカーとの距離を変えると、100 Hz 前後から 250 Hz 前後の間で変化が大きい。主にこれが見えているのが図 4.8 だ。ただ、実際は、左右の壁に反射してくる音波もあるので、耳に到達するまでの距離差は複雑である。上記に示したほど応答は単純ではない。

　スピーカーによっては、バスレフポート（低音を増強するための穴）が背面側にあいているものもあり、この場合には、スピーカーの裏からも低音が出るから、さらに状況は複雑になる。したがって、現実は、Stndwave2 のシミュレーションと完全には一致しない。しかし、なぜ音が変わるのかが理解できれば、スピーカーをどちらに動かせばよさそうか、くらいの見当はつくだろう。また、少なくとも、50 Hz 以下の超低域を調整するために、壁からの距離（1 m 前後）をあれこれ変えてみても始まらないことも理解できる。

4.5 スピーカー配置や聴取位置による周波数特性変化

結論だけ端的に言えば，100 Hz 以下の超低域は聴取位置でほぼ決まり，100 Hz 〜 250 Hz 付近のレンジはスピーカーの配置で調整できる，と思っておけばよいだろう。見当違いの事を試行錯誤するよりは，ずっと早く最適な配置にたどり着けるはずだ。

3） スピーカー間の距離による変化

図 4.9 は，今度はスピーカー間の距離を変えた場合だ。これは見方を変えると，左右の壁との距離を調整しているようなものなので，やはり出てくる影響は，おおむね 100 Hz から 250 Hz あたりで，超低域はあまり変えられない。

図（d）には，左右の隅にスピーカーを設置した場合も示した。いつごろからか，「スピーカーは壁から十分に離すべき」説が定説になって，部屋の状況

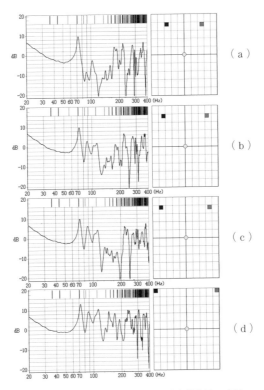

図 4.9 スピーカー間隔による周波数特性の変化
Stndwave2 によるシミュレーション

に関わらず，壁から離して設置するのが鉄則だと信じられていることが多いようだ。しかし，これは部屋とスピーカーによる。決して，鉄則ではない。あくまでバスレフポートが背面側にないタイプのスピーカーであることが前提ではあるが，前方左右の隅という設置もあってはいけないわけではない。図（d）の例では，両隅配置が特性は一番良さそうに見える。GEQで調整するとしても，ピークとギャップがこれくらい少なければ，調整しやすい。

現実には，スピーカーのバスレフポートが背面にあるとか，部屋の隅には扉があるなど，配置上の制約があることも多いが，「決して試みてはいけない配置」ではなさそうだ。実は，この配置，あまり出力が大きくない真空管パワーアンプの時代には，低音を稼ぐ方法として定番だったこともある。

4） 部屋を横長に使う

ところで，部屋を横長に使ったほうが音は良いということを聞いたことはないだろうか。これは一般的には正しいことは多いが，どんな条件の部屋でもそうだと言える鉄則なわけではない。やはりなぜうまくいくことが多いのかは理解しておく必要があろう。

図 4.10（a）には図 4.7（b）のスピーカーと聴取位置を比較のために示し，図 4.10（b）では，そのスピーカー間隔や聴取位置の関係は維持して，同じ部屋を横使いにした場合の特性を示している。

結果として，この場合は，それほど良い特性には見えない。実は，この部屋は正方形に近く，Y方向が比較的長いため，聴取位置が後ろの壁からかなり離れてしまった。横使いの良い点の一つは，聴取位置が後ろの壁に近づくことで，Y方向の #1 共鳴による低域の増幅を利用できる点なのだが，それが利用できていない。

そこで，聴取位置はそのまま，もう少しY方向が狭い部屋を考えてみたのが，図 4.10（c）だ。Y方向を 3.85 m から 2.7 m に減らした。それ以外は同じだ。2.7 m の最低共振周波数は 63 Hz だ。聴取位置が後ろの壁（そこには #1 モードの腹がある）に近づくことで，この定在波による 63 Hz 近傍の増幅が効き，60 Hz 付近の低域が改善されたのがわかる。

4.5 スピーカー配置や聴取位置による周波数特性変化   83

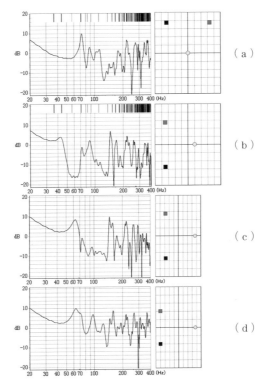

図 4.10 部屋を横長に使った場合の周波数特性の比較
Stndwave2 によるシミュレーション

　しかし，まだ 100 Hz 前後の特性は大きく落ちたままだ。先に示したようにこの付近を改善するには，スピーカーの移動が威力を発揮するはずである。そういう方針に沿って，100 Hz 付近を改善できる配置を探し出したのが，図 4.10 (d) である。一般に，スピーカーの特性が 100 Hz 以下では下がっていくことも考えれば，この特性は，GEQ による補正などなしでも，相当良い結果になりそうだ。

　かくして，横長配置は，定在波による低域増強もうまく利用できるという点で，比較的狭い部屋でも良い結果をもたらすことが多いとはいえるが，横長が鉄則なわけではない。

　先入観にとらわれず，それぞれの部屋の事情にも合わせて，順を追って追跡

していくのがよいのではなかろうか。スピーカーを動かす前に，まずはStndwave2のようなシミュレータで，良い配置を探してみるのが早道だろう。

4.6 周波数特性の測定方法と測定機材

部屋の周波数特性の測定方法は，大きく分けて二つの方法がある。

① トーンスイープ方式　20 Hz から 20 kHz まで 60 秒くらいかけて連続的に音程を変化させ，その間の音量変化をグラフで示す方式。ゆっくりスイープすればいくらでも細かく特性が取れるのが特長だ。パソコンでスペクトラムを測定できるフリーソフトウエアも存在するので手軽に測れる時代になった[9]。

② リアルタイムスペクトラム分析　全帯域に分布するノイズを再生し，

コラム：ホワイトノイズとピンクノイズ

ホワイトノイズとは，すべての周波数レンジでの 1 Hz の間隔，例えば 100 Hz から 101 Hz の間の 1 Hz 間でも，1,000 Hz から 1,001 Hz の間の 1 Hz 間でも，同じ音響エネルギーが分布するように設定されたランダム音を均等に含むノイズだ。「シー」という音に聞こえる。ところで，図4.2や後出の図4.11等で示した周波数特性図を見てみると，横軸が周波数(Hz)に対して等間隔にはなっていない。これを対数軸という。対数軸では，例えば，10 Hz から 100 Hz の間隔，100 Hz から 1,000 Hz の間隔，1,000 Hz から 10,000 Hz の間隔が，図上で同じ幅になる。このような図を考えると，図上で 100 Hz と 101 Hz の間と「同じ幅」に示されるのは，1,000 Hz から 1,010 Hz である。つまり 1,000 Hz 近傍では，図の同じ幅に 10 倍の(10 Hz 分の) 周波数帯が入っている。もし，ホワイトノイズを使って周波数エネルギーを測ると，1,000 Hz と 1,010 Hz の間にある音響エネルギーは，100 Hz と 101 Hz の間の 10 倍になってしまう。それを対数軸の図で示したら，右上がりの周波数特性になるわけだ。そこで，<u>対数軸で描いた周波数特性図で同じ幅には同じ音響エネルギーが均等に入るように調整したノイズが，ピンクノイズ</u>だ。当然，高域に行くほど 1 Hz あたりに入っているエネルギーが減っているので，ホワイトノイズより低域が強く聞こえる。「シー」に対してなら「コー」という印象だ。周波数特性を対数軸で表す RTA で測定するときには，必ずピンクノイズを使わねばならない。

4.6 周波数特性の測定方法と測定機材

それを31バンドや61バンドなどの周波数ごとのレベルをグラフで示す方式。ここで使うノイズは、ピンクノイズと呼ばれるものである（コラム参照）。この原理による計測器は、Real Time Analyzer（RTA）と呼ばれる（7.1節参照）。オーディオ用ではピンクノイズを生成する機能も内蔵していることが多い。

トーンスイープ方式は詳細な特性まで追える。よく見かけるスピーカーの特性グラフのような、細かな変動までとらえている特性はこの方法で得る。欠点は、リアルタイムで特性は見えず、毎回、数分間かけて測定を行わなければならないので、部屋の調整では時間がかかってしまうのと、何か変更した時の特性変化がリアルタイムで見えないことだ。

なお、どちらの測定方法にしても、マイクロホンには、周波数特性に必ず個体差がある。マイクロホンをキャリブレーション（個体差補正）していない場合は、周波数特性の精度そのものはそれなりのものでしかないのには注意しておきたい。とはいえ、左右の比較や修正前後の相対比較ならあまり問題はない。計測用のキャリブレーションデータ付きマイクロホンは非常に高価だ。

図4.11には、二つの方法で測定した筆者宅のリスニングルームの補正なしでの周波数特性を示した。部屋のサイズは、4.4節の例に使った部屋の形状に近いので、50 Hz付近には、(1, 1, 0) モードの厄介な落ち込みがあるのがよくわかる。

図（a）がトーンスイープ方式で測った場合で、分解能は1/48オクターブに設定している。使用機器は、エタニ電機製のASA-10 Mk2で、専用のキャリブレーション済マイクロホンを使っている。本体にマイクロホン等を含めると100万円を超える計測機器で、ちょっと一般向けではないが、測定精度は信頼できる。

一方、図（b）と図（c）が、RTAで測定した特性だ。RTAは精度ではトーンスイープ方式に劣るが、かえって細かな部分が平均化されていることで意外と問題点が見やすく、部屋の音響補正程度であればこれらでも十分かもしれない。61バンドRTAで使ったマイクロホンは、Behringer ECM-8000という1万円以下で購入できる測定用マイクロホンで、キャリブレーションはしていな

86   4. 室内音響の科学

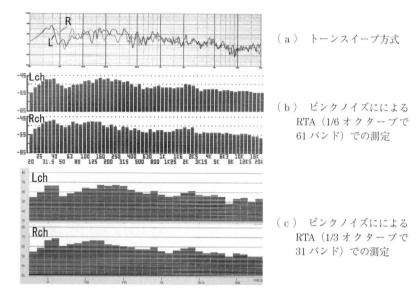

図4.11 周波数特性測定結果例(筆者宅の例)。細かさは,トーンスイープ方式のほうがはるかに細かい。部屋の非対称性のため300 Hz前後の特性は左右で大きく異なっている。

い。それでも,ASA-10 Mk2と比べて,今の目的には十分そうな精度で測れている。31バンドのほうは,マイクロホン内蔵RTA「PAA3」での測定である。

大多数のイコライザーには,リアルタイムにスペクトラムを表示してくれるRTA機能がついていて,マイクロホンを取り付ければ,周波数特性が測れるようになっているものが多い。

その点では,イコライザーを入れれば,測定器もついてくると言ってもかろうが,別途,手軽に測れる周波数特性の測定器として,Phonic社製のPAA3も紹介しておきたい。図4.12にPAA3の写真を示す。あまりオーディオの店では売っていないようだが,いまではインターネット上の通信販売でも容易に買えるようになった。バンド幅1/3オクターブの31バンドで周波数特性を測れるRTAであり,パソコンにもUSBケーブルでつないで表示ができる便利な機材だ。5万円以下で手に入ることも魅力である。100万円前後するのが普通の業務用・研究用の騒音計(RTA方式)などに比べるとおのずと精度は低いが,オーディオの調整用なら十分であろう。

図 4.12 Phonic 社製 PAA3
リアルタイムアナライザー

図 4.11 では，61 バンド RTA による結果も示したが，筆者自身，調整時には 31 バンドの PAA3 しか見ておらず，調整後に 61 バンドの RTA でも確認する，というのが実情である．細かすぎても実は迷うだけの気がして，結局 PAA3 を使うことが多い．

4.7 イコライザーの種類

室内音響を電気的に調整するイコライザーにもいろいろな種類があり，ここでは 3 種類を紹介しておこう．グラフィックイコライザー（GEQ），パラメトリックイコライザー（PEQ），それと，ホームオーディオではあまり使われてこなかったが，筆者はその重要性を認めるダイナミックイコライザーである．

1） グラフィックイコライザー

グラフィックイコライザー（GEQ）では，可聴帯域の 20 Hz から 20 kHz を 31 バンドや 61 バンドなどに分け，それぞれの周波数帯域を個別に調整できるものだ．

周波数が 2 倍になることを「1 オクターブ上がる」という．オクターブごとに可聴帯域を数えると，少し近似値が入るが，20 Hz, 40 Hz, 80 Hz, 160 Hz, 315 Hz, 630 Hz, 1.25 kHz, 2.5 kHz, 5 kHz, 10 kHz, 20 kHz の 11 バンドになる．この中間を 1/3 オクターブずつに分けたのが 31 バンド型，さらに細かく 1/6 オクターブに分けると 61 バンドの GEQ になる．

図 4.13 に示す 3 種の数値が GEQ で調整する各周波数帯の特性を決める．

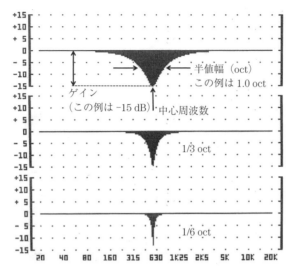

図 4.13 中心周波数，ゲイン，半値幅

> **コラム：Behringer（ベリンガー）DEQ2496**
>
> 筆者が使用している Behringer DEQ2496（図）においては，GEQ は 31 バンドだが，PEQ は左右に各 10 バンドだ。PEQ の半値幅は 1/10 オクターブまで狭められ，また周波数は 1/60 オクターブおきに選べる。ピンポイントで部屋の共鳴周波数を取り除くのに PEQ は非常に役に立つ機能である。逆に半値幅を 10 オクターブ（ほぼ全可聴領域）にまで広げることもできる。ローパス，ハイパスフィルターとして機能させることもできる。61 バンドの RTA とピンクノイズの生成機能も実装しているので，これ一台ですべてがそろうともいえる。ただし，GEQ などを調整中には RTA が見えないという不便さがあるのが欠点。
>
>
>
> 図　Behringer DEQ2496（写真では二台が重ねられている）

中心周波数，ゲイン，半値幅（＝バンド幅）である。半値幅は，山の高さの半分の所の幅で定義した，変化させる周波数帯域の幅である。

　正確に言うと，この曲線の形にも種類があってそれを切り替えられるイコライザーもあるが，ここでは省略する。また，ゲインを変えたとき，隣の周波数帯への影響をキャンセルするように隣接帯も自動変更する機能を持つものもある。これはデジタルイコライザーならではの機能で，このほうが音場修正では便利だ。

　GEQでは，中心周波数は31バンド，61バンドなどに固定されていて変更できない。半値幅も，31バンドなら1/3オクターブ，61バンドなら1/6オクターブに固定されているのが普通だ。ユーザーは，ゲインだけをプラスからマイナスまでの決まったレンジの中で変えることができ，様々な周波数特性を作り出すことができる。変更可能なゲインのレンジは，機種によるが，+/−10 dBから+/−15 dBくらいだ。

　2) パラメトリックイコライザー

　はっきりした定義があるのではないが，一般的にパラメトリックイコライザー（PEQ）と呼ばれる場合には，GEQと違って中心周波数が変更できることと，半値幅も選べるもののことが多いようだ。その代わりに，チャンネル数が5バンドとか10バンドとか，GEQよりは少ない場合もある。なお，中心周波数が変更できないタイプでも，目的によってPEQを名乗るケースもあるようで，決まりがあるわけではない。

　3) ダイナミックイコライザー

　ダイナミックイコライザー（DYN）は，周波数特性を変えるイコライザーではなく，ダイナミック方向（音の大きさ）のリニアリティを変更する機能だ。小さい音を少し大きくして聞きやすくしたりすることができる。

　ホームオーディオでこの機能を使っている話は聞かないが，プロオーディオのマスタリングプロセスではよく使われている機能だ。必要とあれば，周波数ごとにダイナミック方向のリニアリティを変えることさえできる。デジタル時代だからこそ手に入るこの特殊機能は，うまく使うと大変な威力を発揮するこ

とがある。これについては，4.11 節で詳細に述べる。

1990 年代に発売されていた米国マッキントッシュのプリアンプ，C40（図 **4.14**）には，アナログのダイナミックイコライザーが装備されていた。写真の左下のつまみがそれだ。アナログなので大変使いにくく，オーディオ誌でも話題になったのを見た記憶がないので，ほとんどのオーナーは使っていなかったのではなかろうか。今にして思えば画期的な機能だった気がするが，同社のこれ以後のプリアンプではこの機能は消えてしまった。

図 **4.14** マッキントッシュ C40 プリアンプ
左下のつまみがダイナミックコントロール。

コラム：ラウドネスコントロール

　少し昔のオーディオには，音量調整つまみ位置に連動して低域と高域を少しブーストする「ラウドネスコントロール」というスイッチがあった。これも小音量で聴くときに，低域と高域で耳の感度が低下するのを補うためのものだったから，ある種のダイナミックイコライザーではある。ただし，現在のデジタル方式のものと異なり，音量そのものでなく，音量調整つまみの位置によっていたので，スピーカーの効率や入力の大きさがいろいろだと正しく働かなかった。そのせいなのか，最近は見かけない機能になった。

参考のため，図 **4.15** に，筆者のリスニングルームにおけるデジタルイコライザーでの調整後の特性，その時のパラメトリックイコライザー，グラフィックイコライザーの設定を示す。

この部屋での調整前の特性（図（a））は図 4.11 に示したものだ。決して良い特性であるとは言えない。特に，200〜300 Hz 付近の左右差が著しい。

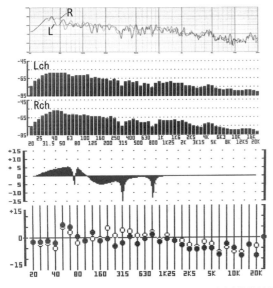

(a) トーンスイープ方式による測定結果

(b) RTA（61バンド）による測定結果

(c) パラメトリックイコライザー PEQ の補正特性（左右共通）。低域の大きなうねりの補正と聞き苦しい共鳴点のカットを分担させている。

(d) グラフィックイコライザー GEQ の特性（●：左ch、○：右ch）

図 4.15 筆者リスニングルームでの周波数特性とその補正パラメーター

これは部屋の非対称性によるものである。それが，図 4.15 の（a），（b）では左右がよくそろっているのがわかる。一方，全体の周波数特性も調整はしているが，必ずしも特性をフラットにしようとしているわけではない。

いくつかの問題周波数を PEQ でシャープにカットしている（図（c））。図 4.11 にあった約 57 Hz の（1, 1, 0）モードによる大きなギャップは，GEQ でブーストして補正しているが，その上の 70 Hz 近傍の定在波（0, 0, 1）と（0, 2, 0）は PEQ でシャープにカットしている。左右の耳で位相が反転する左右モードの特に気になる周波数（左右 1 次元定在波の #7）が 300 Hz 付近にあり，それも PEQ で切り捨てている。800 Hz にあるカットは，この部屋特有のピークのカットで，一般的な参考にならないのだが，例えば，ピアノの音で，一音だけ定位が飛ぶような周波数があるなら，それを探してカットすると定位は大きく改善する。ピークを探す手順は 4.9 節に示すが，その方法で探したのがこの 800 Hz 付近と言うことである。

補正前後でこれだけ差があると，定位感や音場感でかなり大きな変化がある。

92   4. 室内音響の科学

この威力を知ると，多少回路が複雑になろうとも，イコライジングなしに聞くことは，筆者には考えられなくなった。

4.8 イコライザーの接続

イコライザーは，アナログ方式とデジタル方式がある。しかし，昨今のデジタル時代には，わざわざS/N比で不利なアナログ方式を選ぶことは考えにくいように思う。

図 **4.16** にデジタルイコライザー（DEQ）の代表的な接続例を示す。もし，あなたが，CDとハイレゾファイル（ただしPCMに限る）しか聞かないのであれば，デジタルイコライザーへの接続は最も簡単だ。CDプレーヤー（あるいはデジタルファイルプレーヤー）のデジタル出力と，D/Aコンバーターのデジタル入力の間にデジタルイコライザーを入れればよい。CDプレーヤーにUSB入力とデジタル出力があるなら，PCをUSBケーブルでCDプレーヤーに

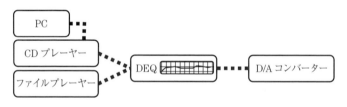

（a） PCMで接続する場合

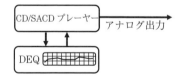

（b） プレーヤーのデジタルイコライザー入出力端子を利用可能な場合

（c） アナログ入力で利用する場合（DEQ内蔵のA/D，D/Aコンバーターも利用可）

図 **4.16** デジタルイコライザー（DEQ）の接続例

つなげば，PCによる再生もデジタルイコライザーにつなげる。

一体型のCDプレーヤーの場合にも，アキュフェーズ製のようにイコライザー用のデジタル入出力端子を備えていれば，ドライブとD/Aコンバーターの間にイコライザーを入れることができる。その端子がない一体型CDプレーヤー場合には，本体のD/Aコンバーターは使えない。プレーヤーのデジタル出力をデジタルイコライザーに入力し，その後につなぐD/Aコンバーターが別途必要になる。だから一体型CDプレーヤーの場合はすこし余計な出費がかかることになるが，最新鋭のD/Aコンバーターの導入は，おそらくCDの音質の改善に直結するので，無駄な投資にはならないように思う。

コラム：内部演算は浮動小数点

デジタルイコライザーなどの中のDSP（digital signal processor）の演算は，データが整数で構成されるPCMではなく，それを浮動小数点型のデータに変換して演算が行われる。これは，計算の途中で小数点以下の切り捨てが起こらないようにするためだ。例えば，19を2で割ったあと，また2倍する，という演算を整数のまま行うと

$$19 \div 2 = 9 \text{（あまり0.5は切り捨て）}, \quad 9 \times 2 = 18$$

のように，元の19には戻らない。このようなことが大量に起こると，もちろん信号は劣化する。しかし，演算が浮動小数点で行われれば，上記の計算も，例えば4桁演算であれば（小数点以下のゼロを省略せずに書くと）

$$19.00 \div 2.000 = 9.500, \quad 9.500 \times 2.000 = 19.00$$

となって，元に戻る。小数点以下の桁が19.00では2桁，2.000や9.500ではそれが3桁に変わっているが，数字全体は4桁の数字になっているのがわかる。このように「小数点の位置が動く」ので，このような計算を「浮動小数点型」という。この方式を使うと，切り捨てが最小桁でしか起こらず，計算精度は上がる。コンピューターの数値計算では必ず使われている方法だ。みなさんもお持ちの電卓の計算はまさに浮動小数点である。

実際のD/Aコンバーターの中でも浮動小数点演算が行われているはずなので，演算による切り捨てでPCMデータが劣化する心配はない。

DSDの場合には，そのままではイコライジングができない。DSDのままデジタルイコライザーに入力できる機種であっても，内部ではPCMに直してから演算されるはずだ。

アナログディスクや，デジタル出力が用意されていないSACDの再生系にイコライザーを入れるのはちょっと面倒だ。イコライザーの前にアナログ信号をデジタル信号に直す装置「A/Dコンバーター」を入れて，アナログをわざわざデジタル（PCM）に直さねばならない。さらにDEQでの調整後にD/Aコンバーターを通してアナログに戻すという経路を通ることになる。かなり複雑な回路であるが，仮にSACDプレーヤーがDSDのままでデジタルデータを出力してくれたとしても，PCMには変換しなければならない。十分に精度のあるコンバーター類を使えば，現代の回路技術からすれば，この複雑さによる音質劣化より，イコライジングによる音質改善のほうがはるかに有効と筆者は考えている。

しかしながら，D/Aコンバーターに比べてA/Dコンバーターは高級ホームオーディオ向けの製品が少ないので，その点でちょっと敷居が高い。もう少し使いやすい機材が増えてほしいものだ。アナログディスクをデジタルでアーカイブするためのA/Dコンバーターが登場し始めているので，そのうち市場にいろいろなA/Dコンバーターがでてくるかもしれないと期待している。

コラム：A/Dコンバーターの性能

アナログをデジタルに変換することは，デジタルをアナログに戻すよりアルゴリズムはシンプルであり，D/Aコンバーターほどは機種によるアルゴリズムの差異が少ないように思う。市販価格が20万円を超える機種から，2万円程度のA/Dコンバーターまでのいくつかを聞き比べてみたところでは，確かに差はあるが，D/Aコンバーター同士の差ほどは大きくないと感じた。

4.9 共鳴ピークの除去

　定在波については，おおむね 200 Hz 程度まで考えておけばよいことは，すでに述べた。ただし，部屋によってはそれより高い周波数で，顕著なピークが現れて，特定の周波数の音だけ，聞き苦しいということがありえる。その周波数を知ることさえできれば，PEQ により，1/10 オクターブの半値幅などで，非常にシャープにカットすることで解決できることが多い。図 4.15 の PEQ で大きく落ち込ませている 72 Hz 付近，315 Hz 付近と 800 Hz 付近がそれだ。

　どのようなピークがあるかは，家具なども含めた部屋の状況にもよるので，実地で確かめるしかない。以下に測定方法を記載したので，ぜひ確認され，もし問題を発見されたら PEQ で除去してみることをお勧めしたい。

　定在波を実際に確かめていくには，どうしても必要な機材がある。オーディオ発振器だ。これは 20 Hz から 20 kHz 以上までの任意の周波数のサイン波を出せる機材で，価格的には 2 万円台からある。筆者が使っている図 **4.17** に示す商品（TEXIO AG-203E）は，現在はもう入手できないが，同様の品が INSTEC 社製の GAG-810 としてまだ市場では入手可能なようだ。オーディオ発振器，または低周波発振器として検索すれば，見つけられるはずだ。

　この発振器は，アナログ式発振器だが，高価なものにはデジタル式というのもある（図 **4.18**）。1 章でのテストのように，正確に 20 kHz を出したい，と

　　図 **4.17**　アナログ式発振器　　　　図 **4.18**　デジタル式発振器

いうような場合には，直接数値で周波数を指定できるデジタル式は使いやすいが，いまの目的では，周波数を連続的にスイープしたいので，デジタル式はむしろ使いにくかった。

　低価格のアナログ発振器の出力端子は，スピーカー端子のようなバナナ端子なので，そこに RCA プラグをつなぐには少し工夫がいる。工作をせずにつなぐには，バナナ・BNC 端子変換プラグと BNC・RCA 変換プラグを使う（図 4.19）。これで RCA ラインケーブルを直接つなぐことができる。ただ，この方法では，接続部根本でアースと信号線が分離してしまうため，ノイズが多く乗る。たいていは低周波のハム（ブーンという音）なので，計測に支障はないのだが，気になるのであれば，端子部をアルミ箱で覆って，RCA 端子に改造してしまうのがよい。図 4.20 に改造中の様子が，図 4.21 に改造後の様子が示してある。アルミケースにもアースをつなぐことを忘れないようにする。

図 4.19　バナナ・BNC 変換プラグ ＋BNC・RCA 変換プラグ

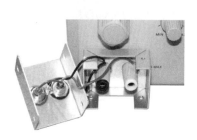

図 4.20　ノイズが乗らないようにバナナ端子を RCA 端子に改造

図 4.21　RCA 入力に改造したアナログ発振器

　発振器の出力は，アンプのライン入力（AUX 端子）につなぐ。発振器の出力レベル切替ノブがあれば，−20 dB くらいにしておくのが適当だ。加えて，安全のため，最初は発振器もアンプも音量調整つまみを最小から始めて，少しずつ音量を上げることが必須である。普段聞く程度の適当な音になったところ

で，おおよそ計算で求めた共鳴周波数付近を発振器でスキャンしていくと，定在波が立てばすぐにわかるほど音量が変化する．単独の定在波が立つ領域なら，部屋を歩き回ってみると理論どおりの腹と節が感じられるはずだ．左右の定在波で奇数次モードの場合には，明らかに左右の耳で位相が逆になるのがわかると思う．

それら周波数付近でPEQのシャープカット（1/10オクターブなど）を設定し，少しずつPEQの周波数を変更していくと，ある点で定在波がきわめて小さくなる点がある．それがPEQに設定すべき周波数である．定在波が顕著な周波数範囲は幅で数Hzに過ぎないはずだから，周波数が固定のGEQではとても対応しきれない．中心周波数が可変できるPEQが必須だ．

PEQのカットの深さとバンド幅は，その近辺で発振器の周波数を振ったとき，音量があまり変わらずその共鳴周波数を通り過ぎるところを探す．バンド幅は狭くできたほうが，他の音への影響は小さくできる．

十分な音響対策がなされた部屋，例えば，左右壁の吸音材が向き合わないように交互に配置された石井式オーディオルーム[8]だったら，このような操作は最小ですむのかもしれない．ただ，低周波に関しては，部屋の大きさで決まっていて，完全に避けられることはない．石井先生ご自身も，イコライザーの使用を推奨されていた．

まずはイコライザーを試してみてはいかがだろうか．最新のデジタル技術の恩恵にあずからずに定在波の影響を受けた音を聞き続けるのは，もったいない気がする．

4.10 オーディオにおけるdBの話

4.10.1 dBの定義

ここまでの節では，特に断りもなくdB（デシベル）という単位を使ってきた．本書の読者であれば，dBという用語を聞いたことがない人はいないだろうと考えて進めてきたが，ここでdBを整理しておこう．オーディオにおけるdBの使い方で，いささか混乱しがちなことは，二つのdBが使い分けられている

点であろう。音の大きさ（音圧）を表す場合と，アンプなどの信号レベルを表す場合とで違う使い方をしているのだ。その点に注意しながら説明したい。

まずdBそのものは，オーディオに限らず一般的に使われる表現で，物理的な量が，ある基準量に対してどれほど違うかを示すものである。

dBの定義には対数が使われる。正確には常用対数という。昔，学校でも最初に習った対数が常用対数である。xの対数は，$\log(x)$と書く。常用対数は面白い性質を持っていて

$$\log(1)=0, \ \log(10)=1, \ \log(100)=2, \ \log(1,000)=3, \ \cdots$$

つまり，xが10倍変わると対数$\log(x)$は1だけ変わる。逆にxが1より小さいときも

$$\log(0.1)=-1, \ \log(0.01)=-2, \ \log(0.001)=-3, \ \cdots$$

xが1以下だと対数はマイナスになるが，xが10倍になると$\log(x)$が1増えるのは同じだ。

この対数を使うと，音の大きさのように，何万倍，何十万倍の範囲を取り扱うときに便利だ。また，人間の感性は，例えば音なら，その音圧が物理的に2倍になっても感覚として2倍には感じず，対数をとった数字のほうが人の感性にあうとされている。

基準の量をV_0，比較する量をV_1とするとき，dBの値Lは以下のように定義される。

$$L\mathrm{(dB)} = 20\log\left(\frac{V_1}{V_0}\right)$$

式中のlogの前に20が付いているのは，使いやすい数字になるように掛けてある係数だ。V_1が基準値V_0の2倍だとしたら，$V_1/V_0=2$，また$\log(2)$はほぼ0.301なので，さらに20を掛け，$L=6.02\,\mathrm{dB}$。つまり約6dBが「2倍であること」を表す。

ふつうは，6.02の小数点以下の.02は省略して，<u>6dB上がると物理量が2</u>

倍になる，という言い方をする．この切りの良さが，オーディオで，6 dB や，その半分の 3 dB がしばしばキーワードとして出てくる理由だ．

そのほかの切りが良い数字は，20 dB で，これはちょうど物理量が 10 倍になる（log(10) = 1 なのを思い出そう）．

4.10.2 音圧を考えるときの dB

音の大きさ（音圧）を dB で表すときの基準値は，人が聴こえる最も小さい音とされる音圧と決められていて，2×10^{-5} パスカルである．パスカルは圧力の単位で，ここでは音圧を表す単位に使われている．筆者は聴いたことがないが，それこそ静寂の中でピンが一つ落ちるような音なのだろう．むろん聴こえる最小音には個人差があるが，決まりとしてこの値を使う．ある音圧 P_1 を dB で表した値 L は，以下の式で表される．

$$L\,[\mathrm{dB}] = 20\,\log\left(\frac{P_1}{2 \times 10^{-5}}\right)$$

$P_1 = 2 \times 10^{-5}$ パスカルの時が 0 dB である．この時も音圧がゼロなわけではない点は注意したい．騒音などの P_1 は当然ながら基準値 2×10^{-5} パスカルより大きいから，音を表す L は正の数字になる．6 dB 上がるごとに音圧は 2 倍になる．人が正常に聴ける最大音圧は 120 dB 程度とされ，ジェット機のエンジンの横に立っているくらいだという[2]．この 120 dB の音圧は，基準値 2×10^{-5} パスカルの 100 万倍になる．

スピーカーの感度（または能率）でも「感度は 90 dB/W/m」というような形で dB が出てくる．これは，スピーカーに 1 W のアンプパワーを入力したとき，1 m 離れた位置での音圧を dB で表した数字である．計測に使う周波数は，オーディオ用なら 1 kHz だが，高域が不要な拡声器などでは 500 Hz が使われることもある．

4.10.3 アンプ類の入出力や増幅率（ゲイン）を考えるときの dB

アンプ類や CD プレーヤーなど，それに本章でもすでにいくつか示した RTA

の表示でも，dB という数字が出てくるのだが，この場合は，基準となる量が，音圧の場合と異なる．一般には，入力電圧，出力電圧，最大入力電圧などを基準にする．

アンプのゲイン（利得）が 20 dB，というときは（20 dB の差は物理量では 10 倍の差なので），このアンプは入力電圧を 10 倍に増幅するということになる．

アンプの音量調整の場合には，音量調整つまみの最大位置を基準に，そこからどれくらい信号レベルを絞っているかを示す．音量のデジタル表示が dB で示されていて，例えば表示が −20 dB であれば，音量つまみが最大位置の時の 1/10 まで出力電圧を絞って使っていることを意味する．

プリアンプに出力レベルメーターが付いている場合，その 0 dB となる基準値は，たいていは定格出力電圧である．一般に定格出力にはまだマージンがあり，それを超える出力電圧も出るので，0 dB を超えて表示されることもある．入力メーターなら，定格入力電圧が基準のことが多い．業務用機材では入・出力の基準電圧に関して規格（0.775 V，2 V，5 V など）もあるが，家庭用機器ではわりと自由で厳密な決まりはないようだ．

RTA を含め，デジタル再生機器の入出力をレベルメーターなどで示している場合には，デジタル的な最大レベルを基準（すなわち 0 dB）と決めて，信号レベルを表示する．0 dB が最大レベルなのだから，出力表示は必ずマイナスの数字であり，0 dB を超えることはない．機器内の信号レベルが 0 dB に達していたら，そこで音量制限（リミッター）がかかった状態になっているはずだ．

同じデジタル機器でも，レコーダーの場合は少し複雑だ．デジタル的最大レベルを 0 dB と定義すると，それを超えた音量は記録できない．それでは昔のテープレコーダーの感覚と違うので，この最大レベルには 10 dB 〜 15 dB くらいの余裕（ヘッドマージンという）を持たせて，基準を決めてある．だから録音レベルが，若干 0 dB を超えるのが許され，テープレコーダー時代の録音感覚（たまに 0 dB を超えるくらいの音量で録音すると習った）で使うことができる．

ところで,「音量調整つまみを 3 dB 分上げると,スピーカーに入るアンプパワーは 2 倍になる」という説明を聞いたことがないだろうか。前項のとおり,音圧の時は,6 dB 上がると 2 倍になったが,それと違うのはなぜだろう。

アンプの出力電圧 V が 6 dB 上がって 2 倍になると,スピーカーにかかる電圧が 2 倍なので,電流 I も 2 倍流れる。すると,スピーカーに入力されるアンプのパワー P は

$$P(\text{ワット}) = V(\text{ボルト}) \times I(\text{アンペア})$$

なので,V が 2 倍,I も 2 倍で,合計 4 倍になってしまう。

スピーカーへの入力パワーを 2 倍にするには,アンプ出力電圧は,$\sqrt{2}$ 倍にしておかねばならないわけだ。そこで $\sqrt{2}$ 倍になる dB 値を計算してみると

$$L = 20 \log(\sqrt{2}) = 3 \text{[dB]}$$

となる。だから,3 dB 分だけ音量調整つまみを上げると,電圧は $\sqrt{2}$ 倍になって,スピーカーに入るパワーは 2 倍になる。

こうして,音圧の時は 6 dB で 2 倍なのに,電圧を調整する音量調整などでは 3 dB 上がるとアンプの出力パワーは 2 倍となるのである。

4.11 ダイナミックイコライザーの効用

4.11.1 音楽鑑賞中に聞こえるダイナミックレンジ

前節で述べたとおり,人間の耳が正常に聴くことのできるダイナミックレンジは 120 dB と言われるが,それは単独の音を聴いた場合だ。それでは,オーケストラが大音響で鳴っているときに,どれくらい小さい音までが聴こえているのだろうか。大音量があると,小さな音はマスキングされることが知られている[2]。MP3 などの音楽データの圧縮では,このマスキングをうまく使って,音を省略している。

実際に音楽鑑賞中に聞こえているダイナミックレンジは,最大でも 70 dB〜80 dB くらいではないだろうか。筆者のデジタルシステムは −80 dB までレベ

ルが直読できるのだが，−75 dB のノイズは，通常音楽を聴くときの音量調整位置で音楽を聴いている限り筆者には聴こえない．若くて耳の良い方でも，−80 dB が聴こえるとは思えない．さすがに−65 dB のノイズがあると筆者でも簡単に気が付く．このあたりが境界線な気がするのだ．実は，意識として聞こえていなくても，暗騒音として感じていることがあるのは体験しているが（ON/OFF で変化の気配を感じる），それは音楽がない曲間ノイズの場合だった．

　昔のアナログ録音の CD 化や SACD 化では，「マスタリングでダイナミック調整をせずにディスク化したので，ダイナミックレンジが広く，音が良い」という解説を聞くのだが，こういった表現にはちょっと疑問を持っている．実は内緒で操作しているのではないか，とかいう意味ではなく，昔のアナログ録音は，録音段階から，そのダイナミックレンジがアナログレコードや当時のテープレコーダーのダイナミックレンジに入りきるように，すでにダイナミックレンジの調整がされているのではないのか，という意味なのだ．

　それは必ずしも電子的な操作ではなく，マイクロホンの配置を工夫して，小音量の楽器も鮮明に録るとか，大音量の楽器からはマイクロホンを離すとか，いわゆる録音エンジニアの腕の見せどころであって，だからこそ，その録音を何も調整せずにそのままデジタル化したら，ちょうどよい（広すぎない）ダイナミックレンジで，録音された音のすべてがうまく聞こえるのではないか，というのが筆者の視点だ．

　アナログ録音の音が良く感じるのは，いろいろな理由があるだろうが，その一つとして，当時の録音エンジニアが苦労して，ダイナミックレンジを，当時のレコーダーで録音が可能な，あるいはアナログレコードで再生可能な範囲に収めてくれている効用，ということはないだろうか．

4.11.2　写真の世界ではダイナミックレンジ調整は常識

　デジタルカメラでも，リニアリティはフィルムよりはるかに優れていたのだが，初期のデジタルカメラ（1990 年代）の画像は，フィルム写真の美しさには足元にも及ばなかったのだ．

4.11 ダイナミックイコライザーの効用

具体的に例を挙げれば，夜の屋台の風景がきれいに写ると同時に，そこに吊るされた裸電球のフィラメントまで見えている。そんな風景を想像してほしい。

そのような写真がフィルムなら可能だが，初期のデジタルカメラは不得意だった。画面内に，電球のフィラメントのような，非常に明るい自己発光物があると，その明るい部分が完全に白く飛んでしまう。つまり，リニアリティが高く，ダイナミックレンジが広いはずのデジタルカメラが，それらで劣るはずのフィルムに負けていたのだ。

筆者が趣味とする天体写真は，この点で群を抜いて難しい。一般の風景なら，その大部分は反射光であって，自己発光物は，普通の対象では花火や夜景のネオンくらいだろう。しかし，天体写真の対象は星だから，惑星と月を除けばほとんどすべてが自己発光している。しかも背景は暗闇だ。これをデジタルカメラで表現すると，まったく美しくない写真になってしまう。1990年代の一般向けデジタルカメラの階調が8ビット（256階調）だった時代に，天体写真専用のデジタルカメラは，当時でも16ビットもあったのにもかかわらずである。（現代の一般用デジタルカメラは12ビット〜14ビットになっている）。

この天体写真での問題を解決したのが，筆者が天体写真用に提案した「デジタル現像」だった[11)〜12)]。フィルムの現像過程を真似て，画像のリニアリティを放棄し，画像のダイナミックレンジを，紙の上に表現可能な範囲に圧縮したのである。

紙にプリントする以上，ベタインクの黒から，紙の地肌の白までしか表現できないのだ。その範囲に，すべての画像を押し込まないと，暗いところが真っ黒につぶれ，明るいところは真っ白に飛んだ，汚い写真になってしまう。そこで，プリント可能な範囲にダイナミックレンジを圧縮すると同時に，明るい部分にはエッジ強調を加える，というのがデジタル現像の考え方だった。そしてそれは，フィルム時代から，現像中の化学反応によって，暗黙のうちに行われてきた常識だったのだ。現代の一般向けデジタルカメラの画像は非常にきれいになった。詳細は企業秘密で公開されないが，内蔵された「現像エンジン」なる回路で，おそらく，上記の天体写真用のデジタル現像以上のことが行われて

いる。何かオーディオのアナログとデジタルの関係に似ていないだろうか。

4.11.3　聴感上のダイナミックレンジ拡大

みなさんは，ダイナミックレンジを圧縮するといったら，きっとオーディオファンとしてすごく抵抗があるだろう。そこで，ここでは逆の言い方をしておく。耳に聞こえる範囲はおのずと限られているから，その範囲に入るようにダイナミックレンジを調整する。それを「聴感上のダイナミックレンジ拡大」と表現しておきたい。プロ用イコライザーに搭載されているダイナミックイコライザーを使えば，それは実現可能だ。

一口にダイナミックイコライザーと言っても，その動作はいくつかある。それらの入出力の関係を例として図示したのが図 **4.22** である。図中の曲線 A は，大音量で飽和しないように，レベルが上がってくると，自動的に音量を下げるような働きをするものだ。これは，「リミッター」と呼ばれていることが多い。絶対に飽和しないようにするために使われるけれども，あまりリミッターを効かせると，大音量が詰まった感じの音になってしまう。音を良くする仕組みとは言いにくい。

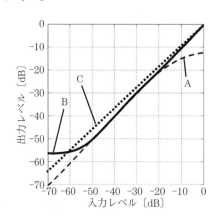

図 4.22　ダイナミックイコライザーの入出力特性例

もう一つは，小さい音が聞こえやすいように，小音量のレベルを上げておくものである。図の曲線 B に示した特性がこのような操作による入出力の関係になる。これは，しかしノイズを増大させる可能性が高く，これも音を良くす

るとは思えない。

A, Bともに共通の問題点は, 急に特性が変化する「臨界点」があることだ。うまくそれを設定できればよいが, ディスクによってちょうどよい音量になる音量調整つまみ位置がかなり違うことはよく経験する。

すなわち, 録音の平均レベルはディスクごとにかなり異なるのだ。だから, AやBのような特性を使うと, ディスクごとに臨界点を設定し直す必要があるだろう。特定の録音を最適化するマスタリングプロセスならそれも可能かもしれないが, ホームオーディオでこのような特性を汎用的に使うのは無理だ。

筆者がテストした結果, 常に安定した効果を表し, かつノイズもほとんど増加せず, 音も自然であることが確認できた特性は, Cのようなものだった。この場合, 両軸ともdBで描いた場合の入出力特性で直線性は維持される。これは, 音が自然に聞こえる点で非常に重要である。

また, 入力レベルによって臨界点を変える必要もない。図に示した例Cでは, 全帯域にわたり, 入力音が10 dB小さくなるごとに出力は1 dBだけブーストされている。−60 dBでは出力は入力より+6 dB上がり, −54 dBになるわけだ。

このようなダイナミックイコライザー (DYN) の設定は, 例えば4.7節で示したDEQ2496なら実際に可能だ。図 4.23 にその設定画面を示す。

図 4.23　DEQ2496のDYN設定画面

RATIO＝1：1.1というところで, −10 dB下がるごとに1 dBのブーストというのを設定している。10 dB上がるたびに, 1.1分の1になるという意味だ。グラフィック表示が, 図4.22のCと同様の特性を示しているのがわかる。

この調整を行った音は, まさしく理屈どおり, 大音量でも, 陰に隠れていた細かな音を響かせる。演奏終了時のエコーも長くなる。ホルスト作曲の組曲惑

星の最後のエンディングは，合唱が永遠のかなたに消えていくという設定で，どんどん音が小さくなっていくのだが，それが，最後に録音エンジニアが音量調整つまみを絞り切ったところまで聞こえるようになった。しかし，ある点で急に変わるのではなく，あくまで自然だ。これを「聴感上のS/N比の向上」というのであれば，それは印象としてはまさしくそのとおりだ。何も知らずに聴けば，何をしたらこうなるのか，理解できないと思う。

ただ，断っておきたいのは，この仕組みは万能ではない。効果を発揮するのは，あくまで，ダイナミックレンジを広くとりすぎた音の場合に限る。昔のアナログ録音のディスクではたいていが過剰修正になるので，DYNはOFFする必要がある。また，すでにこの種の調整が暗黙に行われていると思われる音源やオーディオ機材でも，DYNはOFFだ。

しかし，いかにもデジタル臭い音だなあ，なんか高域がきつくキンキンした音だなあ，というディスクにこのダイナミック調整を施すと，非常に効果的だ。周波数特性は変わっていないのだが，何か暖かい音に変化する。

これはあくまで新しいチューニングの提案であり，必要な時に使ってみていただきたい。これまでにオーディオファンがあまり使ってこなかった調整方式であることは間違いなく，ときに大きな威力を発揮する。その効果は，グラフィックイコライザーやトーンコントロールとは明らかに異なる，新感覚の変化である。

4.12 スピーカーグリルによる特性変化の実測

本章の最後の話題として，スピーカーグリルによる特性変化の実測例を示しておこう。

最初に紹介するのは，いささかビンテージ品だが，有名なJBL4344の場合だ（**図4.24**）。そのグリルは，木枠に非常に薄いいわゆるスピーカー用のサランネットを張った構造で，一番典型的なグリルの構造ではなかろうか。

このグリルの有無での特性差を実測したのが**図4.25**である（筆者宅のマルチアンプシステムの回路の都合上，200 Hz以下の低域はローカットフィルター

4.12 スピーカーグリルによる特性変化の実測

図 4.24 JBL4344 とそのサランネット張りのグリル。向こうが透けて見えるほど薄い。

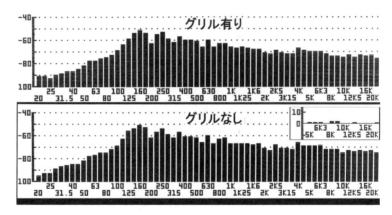

図 4.25 JBL4344 のグリル有無による高域特性の変化　差が小さくてわかりにくいので，5 kHz 以上の帯域のみグリル有無での差分も示した。

によりカットされているので参考にならないのをご容赦いただきたい)。5 kHz 〜 10 kHz の間は，グリルなしのほうが，1 〜 2 dB ほどレベルが高い領域がある。わずかに見えるが，実際に聞き比べてみると，この差は意外によくわかる。グリルがないほうが，高域が鮮明な感じが確かにする。ただし，その周波数特性を GEQ で修正してしまうと，差はわからなくなった。

二番目の例は，かなり新しい機種で，PIEGA の COAX 711 (**図 4.26**) である。500 Hz 以上をリボン型スピーカーで再生する機種だ。グリルは，パンチング

108　　4. 室内音響の科学

図 4.26　PIEGA COAX 711

図 4.27　PIEGA COAX 711 のパンチングメタル製グリルを裏側から見る。

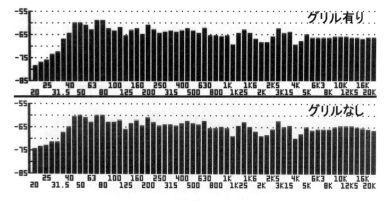

図 4.28　PIEGA COAX 711 のグリル有無による高域特性の変化

メタルにサランネットを張った形式になっている（**図 4.27**）。パンチングメタルの開口率（穴の開いている割合）を実測してみると，おおよそ50 %で，面積で半分しか開いていないことがわかり，何か設計意図がありそうだ。計測結果を**図 4.28** に示す（筆者宅のマルチアンプシステムの関係で，100 Hz 以下は，JBL4344 の 38 cm ウーハーで再生されているので，100 Hz 以下の低域の特性は PIEGA のものではないのをご容赦いただきたい）。

差が表れるのは 6.3 kHz 以上だ。図 4.25 と違うことは，グリルを外してし

まうと 10 kHz 〜 16 kHz が盛り上がる点。この機種はグリルで積極的に音を調整している例なのではないだろうか。なお，使用説明書には，不用意にユニットに触らないように「グリルを外して使うな」と書いてあった。

グリルを外したほうが音は良くなるもの，というのが定説になっている気がするのだが，製品はグリルまで含めて設計されていることもありえるわけで，外したほうがよいと決めつけないほうがよい。冷静に聞き比べて選ぶべき，または，使用説明書に沿うべき，というのが正論ではなかろうか。

4.13 室内音響のまとめ

音楽をヘッドフォンでなく，スピーカーで聴くことを前提とするなら，オーディオの中で，室内音響ほど各人の条件が千差万別のものはない。他の方々の経験談が，必ずしも役に立たないかもしれないのだ。こんな時こそ，科学的アプローチが役に立つと言えよう。本章後半で紹介した電子的イコライザーは，入れるも入れないも個人の自由だが，仮に入れる場合でも，まずは，聴取位置やスピーカーの配置を調整して，室内音響をできるだけ整えてから調整する必要がある。わずかな配置の差で，思いのほか変わるのだ。しかし，それを単純な試行錯誤で探していたら，何か月も，いや何年もかかるかもしれない。最終的にもっといい配置があるのに，知らずに過ごすかもしれない。ぜひ，本章で紹介した考え方を参考に，皆さんの室内音響を追及してみてはどうだろうか。

5. 接続ケーブルの科学

5.1 接続ケーブルの役割

　本章では，接続ケーブルを正しく使うための知識を確認する。接続ケーブルの第一の役割は，正しく信号を伝えることだ。少なくともケーブルで音を調整するのは，その第一の目的ではない。ケーブルで音が変わるのは，正しく伝わっていない分だけ変わると考えるべきであろう。現実には，ケーブルで音が変わることは確かにあるのだが，まずは正しく接続することが先だ。ここではそれを考える。ケーブルによる音の調整はあってもよいが，科学というよりは，好みによるオーディオ道の世界だと思うからだ。

5.2 接続ケーブルに関する Q&A

Q：入力インピーダンス，出力インピーダンス，それとケーブルのインピーダンスを合わせて使うインピーダンスマッチングが重要と聞きました。合わせないといけませんか。

A：オーディオで取り扱う周波数の範囲では，インピーダンスを合わせる必要があるのは，周波数がメガヘルツ帯域になるデジタルケーブルの接続の場合だけです。20 kHz 程度までのアナログの音響信号の場合，インピーダンスマッチングという考えは基本的に不要です。出力インピーダンスより十分に高い入力インピーダンスで受ける，という一点だけ気を付ければ大丈夫です。

> Q：CDプレーヤーのデジタル出力がRCA端子だけで，入力したい機器のデジタル入力端子がXLRだけです。アナログ用に数百円で買ったRCA/XLR変換アダプターを使って接続しても大丈夫ですか。ネットには大丈夫だったという報告もありましたが。

A：RCA端子はインピーダンスが75 Ω，XLR端子は110 Ωなので，その方法ではインピーダンスが合いません。それでも動作する可能性はありますが，デジタル信号の波形は確実に劣化します。受ける側の動作が厳密だと，簡易型のRCA/XLR変換アダプターでは接続を認識しない可能性もあります。インピーダンスを変換する回路またはトランスを内蔵した変換アダプターを使うことをお薦めします。

5.3 インピーダンスとは

インピーダンスの概念をまず説明しておこう。回路において，電圧をV（ボルト），電流をI（アンペア），直流抵抗をR（オーム）とする。この時，直流に対するインピーダンスは，みなさんが学校で習ったオームの法則

$$V = RI$$

で出てくる直流抵抗のRのことになる。

しかし，交流の場合はこのRだけではないものが影響してくる。音響信号はもちろん交流だ。関係してくるのは，回路中のコンデンサーの成分（コンダクタンス）とコイルの成分（インダクタンス）である。コンダクタンスは，記号Cと書くのが普通で，単位は，F（ファラド）だ。インダクタンスは，記号Lと書くのが普通で，単位はH（ヘンリー）である。

オーディオで使う同軸ケーブルのインピーダンスZ（正確には特性インピーダンスという）は，$Z = \sqrt{L/C}$で，単位は直流抵抗のときと同じΩ（オーム）である。

このケーブルの特性インピーダンスZは，ケーブルの断面構造だけで決まり，

ケーブル長によらない。この点は，長さが2倍になると抵抗も2倍になる直流抵抗 R とは違っている。$Z=\sqrt{L/C}$ なので，長さとともに同じだけ L も C も大きくなるので，Z は変わらないのである。ただし，これは長距離を伝送しても損失がない，という意味ではない。

機材の出力インピーダンスや入力インピーダンスが使用説明書には書かれていて，やはり単位は Ω だ。$k\Omega$（キロオーム）や，$M\Omega$（メガオーム）のこともある。$1\,k\Omega$ は $1,000\,\Omega$，$1\,M\Omega$ は $1,000\,k\Omega$ になる。

インピーダンスマッチングを取るとは，普通は，これら入・出力のインピーダンスならびにケーブルの特性インピーダンスを全部一致させる，という意味になる。ただし，この意味でのインピーダンスマッチングは，オーディオの接続に必須のことではない。インピーダンスマッチングが必要なのは，かなり高い周波数の信号の場合である。

では，どのくらいの周波数ならインピーダンスマッチングが必要な高周波かというと，同軸ケーブルの中の信号の波長が，伝送したい距離よりかなり短いと，マッチングが必要になる。インピーダンスが合っていない接合部分では信号の反射が起こり，伝送の効率も下がる。

ところで，電気信号の伝送速度はどれくらいかというと，真空中では光速度と同じで「30万 km/秒」だ。一方，同軸ケーブルの中は，絶縁物質（例えばポリエステル）で満たされているので，電気信号の伝送速度 V は真空中の約 2/3 の 20万 km/秒（$=2\times10^8$ m/秒）くらいになる。物理の式で書けば

コラム：同軸ケーブルの L 成分？

同軸ケーブルは，中心導体線をアースが取り囲む構造だから，電極同士が向き合ったコンデンサーになっている。だから C の成分があるのはわかると思うが，コイルでもないのに L もあるのか？ と疑問かもしれない。L 成分は必ずある。電流が流れれば，周囲に磁場ができる。磁場ができれば，L 成分が発生するのである。コイルがくるくる巻いてあるのは，この L 成分をできるだけ大きくしたいからで，直線であっても L 成分は必ずあるのだ。

$V = c/\sqrt{\varepsilon_s}$

ここで，c は真空中の光速度，ε_s は物質中の比誘電率という物理量で，物質によって決まる。真空中では1で，空気中でもほぼ1とみなせるが，同軸ケーブルの絶縁材としてよく使われるポリエステル中では2.3くらいになる。

これも考えて，同軸ケーブル中での波長を計算してみよう。波長は V を周波数 f で割ると得られる。例えば，地上波デジタルTVの電波の信号は500 MHz帯であるから

$$\text{波長} = 2 \times 10^8 \text{[m/秒]} \div 500 \times 10^6 \text{[Hz]} = 0.4 \text{[m]}$$

となる。伝送したい距離は確実に0.4 mは超えるから，地上波デジタルTVのアンテナ配線では，インピーダンスマッチングは非常に重要である。かつての地上波アナログ放送では，100 MHz帯だったので，もう少し波長が長かったが，

コラム：なぜケーブルのインピーダンスは50 Ωや75 Ωなのか

高周波用の同軸ケーブルでは必ずインピーダンスが表示されている。ただ，なぜか50 Ωの場合と75 Ωの場合がある。これは，半分は科学的理由，半分は歴史的経緯だ。空気で絶縁した同軸ケーブル（つまり，外側パイプの中央に同軸の線がある構造）を考えると，高周波を一番伝送しやすい（ロスが少ない）インピーダンスというのが計算できる。これは高周波の周波数によらず，約75 Ωになることが知られている。昔は，あまり良い絶縁材がなかったので，同軸ケーブル（というより同軸パイプ）は，中が本当に空気だった。この流れをくむのが75 Ωのインピーダンスである。一方，現在の同軸ケーブルは，ポリエステルなど柔軟で良質な絶縁材で満たされている。ポリエステルの場合，前述のとおり，その内部の信号伝達速度が真空中（空気中もほぼ同じ）の約2/3に落ちる。その結果，高周波を一番伝送しやすいインピーダンスも50 Ωに変わるのだ。長距離伝送で減衰が問題の場合には，50 Ωがよいが，通常のオーディオデジタル信号の伝送では，減衰が問題になるほどの距離は必要ないから，75 Ωでもあまり変わらない。そんなことより，インピーダンスマッチングしていることのほうが大事だ。

114　　5. 接続ケーブルの科学

それでもインピーダンスマッチングは必須の帯域だった。

一方，アナログオーディオ信号はどうか。可聴帯域上限の 20 kHz としても

$$波長 = 2 \times 10^8 [m/秒] \div 20,000 [Hz] = 10,000 [m]$$

となる。どう考えても，これは伝送距離より波長が圧倒的に長い。こんな場合には，インピーダンスを一致させるという意味のマッチングは必須ではない。

では，デジタルオーディオ信号はどうだろう。その周波数帯域はサンプリング周波数にもより，5 MHz ～ 20 MHz 帯になる。10 MHz として波長を計算すると

$$波長 = 2 \times 10^8 [m/秒] \div 10 \times 10^6 [Hz] = 20 [m]$$

かなり微妙な長さになってくる。プロの録音現場では，20 m くらい伝送することはありえるから，デジタルオーディオ信号は，インピーダンスマッチングを必ず取るべき対象といってよい。家庭用で，1 m 程度の距離だと，実は，インピーダンスが異なるアナログ用ケーブルでつないでいても，まあ，何とかなることがある。これは，上記のように，波長が微妙な範囲だからだ。しかし，1 m でうまくいったからといって，10 m でも OK というわけにはいかない。正しい接続という視点で，デジタル接続では，インピーダンスは正しくマッチングさせておくほうが良いといえる。

5.4　接続ケーブルの種類と特徴

ホームオーディオで主に使われるケーブル（光ケーブルを除く）は，コネクターの種類で分類できて，おおむね次の 3 種だ。RCA ケーブル（図 5.1），XLR ケーブル（図 5.2），それとめったに見かけないが，デジタル信号用の BNC ケーブル（図 5.3）である。

RCA ケーブルと BNC ケーブルはいずれも信号線が一本で，アンバランスケーブルと呼ばれる。それに対して信号線が正相と逆相の各信号用に二本ある XLR ケーブルは，バランスケーブルという。RCA プラグと BNC プラグは，ケー

5.4 接続ケーブルの種類と特徴   115

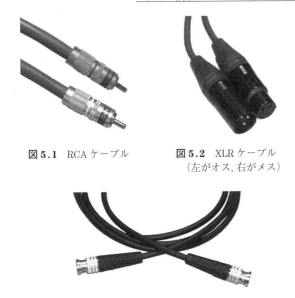

図 5.1 RCA ケーブル

図 5.2 XLR ケーブル
（左がオス，右がメス）

図 5.3 BNC ケーブル

ブル両端で同じ構造をしているので，原則的には「向き」はない（ケーブルメーカーによっては向きを指示していることがある．ケーブル内の金属結晶の並び等を考慮しているとのこと．データが示されていないので，その定量的効果は不明だ）．

　一方，XLR ケーブルのプラグは，片端がオス，他端がメスに必ずなっているから，反対向きには使えない．信号の上流側（つまり出力端子側）でメスのプラグ側を，下流側（入力端子側）でオスのプラグを使うのが規格である．ソケット側もそうなっていて，反対向きには挿せない．

　アナログ信号の接続に使われるのは，RCA ケーブルと XLR ケーブルである．高級オーディオでは，何となくバランスケーブル（XLR ケーブル）のほうが高級で音が良いようなイメージになっている．40 年くらい前までは，ほとんどの機器が RCA 端子だったのだが，最高級機が，昔からプロ用オーディオに使われていた XLR 端子を採用したところ，コネクターがしっかりとロックできて信頼性も高く，高級感もあることから，家庭用の高級機にも普及した．も

ちろん，プロ用として使われていたくらいだから，バランスケーブルの利点はある。それは，コモンモードノイズの排除効果があるからだ．図 5.4 にその原理を示す．

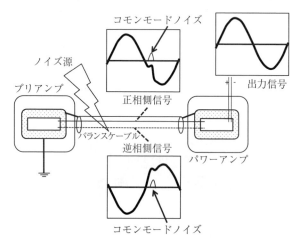

図 5.4 バランス電送によるコモンモードノイズの排除の原理。両相の信号差を取るとコモンモードノイズはキャンセルされる。

バランスケーブルには二本の信号線があり，片方には位相が正相の信号が，もう一つには，同じ信号だが正負が逆の逆相信号が並べて伝送される．正相側を「ホット」，逆相側を「コールド」と呼んで区別する．

信号線上に，外乱（大きな電磁界）が入るとノイズが伝送信号に乗るが，二つの信号線はほぼ同じところを通っているので，乗るノイズも同じと考えられる．これをコモンモード（共通のモード）のノイズという．図 5.4 はプリアンプからパワーアンプへの伝送の例だが，パワーアンプ内では，この両方の信号の差を取る形で合成する．その時，コモンモードノイズはキャンセルして消えることになる．

なお，この内部での両方の信号の差を取るのが入力端子の直後で，以後は合成信号を増幅するタイプのアンプはアンバランスアンプである．差を取るのが入力端子の直後でなく，アンプ 2 台で両方の信号を増幅後，アンプ出力で差を取るのがバランスアンプである．

大出力のパワーアンプではバランスアンプであることがよくある。また，高級プリアンプや CD プレーヤーなどでも，内部まで完全バランス増幅で構成されたものがある。バランス増幅か，アンバランス増幅かは，以下のように接続ケーブルの合理性と関係してくる。

バランスケーブル（XLR）とアンバランスケーブル（RCA）とどちらでつなぐべきだろうか。これを変えると，ほぼ間違いなく音質が変わる。理由は，回路が変わるからである。図 5.5 にいろいろな場合の関係を示した。

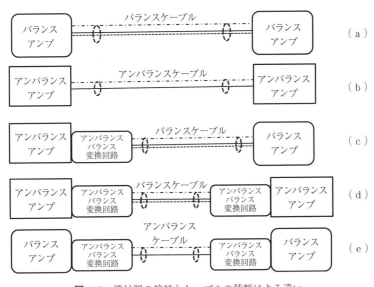

図 5.5 機材間の接続とケーブルの種類による違い

バランスアンプを持つ機器同士をつなぐ場合（図（a））や，アンバランスアンプを持つ機器同士とつなぐ場合（図（b））においては，その回路に合わせたケーブルでつなぐのが，最も回路がシンプルである。音が良いかどうかは好みの問題だが，技術的には，あえて内部アンプの構造と逆のケーブルを選べば（図（d）と図（e）），間に二回もアンバランス・バランス変換回路が入るはずだ。この変換回路は機器の内部に入っていて見えないが，必ずある。この回路は，位相反転アンプのこともあるし，トランスのこともあるが，回路が余計に入ることだけは確かで，それによって音が変わるのは，何ら不思議はない。

118　5. 接続ケーブルの科学

（d）や（e）の接続で音が良くなったと思えるなら，それでもよいが，技術論で考えれば，そのような選択は不合理であろう．

一方，片方がアンバランス，他方がバランスアンプの機器同士をつなぐ場合には，アンバランスケーブルでもバランスケーブルでも，少なくとも一回はアンバランス・バランス変換回路が入ることは避けられない．

<u>音の好みは別として，バランスアンプを持つ機器同士をつなぐ場合はバランスケーブル，アンバランスアンプを持つ機器同士をつなぐ場合はアンバランスケーブルというのが，合理的だろう．</u>一方，<u>片方がアンバランスアンプ，他方がバランスアンプの機器同士をつなぐなら，どちらのケーブルでもそれなりに合理的と言える．</u>なお，変換トランスが入ったほうが音は良くなるという人もいるので，そこは好みの問題である．

プロオーディオの現場では，ケーブルが 100 m にもなることがあるから，バランスケーブルが標準になっているが，家庭内の室内配線であれば，バランスケーブルのほうがノイズが少ないということは考えにくい．

アンプによっては，アンバランス－バランスの変換回路を搭載していない例外的なものもある．1990 年代のパワーアンプだったが，内部はアンバランスのステレオアンプで，XLR で入力すると，そのコールド側を，ホット側のアンプの入力インピーダンスと同じ抵抗でアースに落とすというものだった．信号を半分しか使っておらず，コモンモードノイズの排除もできない．

昨今は，バランス型のパワーアンプが多くなっている．バランスアンプのほうが大出力にしやすいのも理由だが，製品ラインナップという視点でも，バランスアンプは既にアンプが 2 台内蔵されているので，若干の設計変更だけで，アンバランスのステレオアンプも製品化できる．実際に，モノラルのバランスアンプの製品がある場合，同じくらいの大きさでチャンネル当りの出力は小さいステレオアンプが設定されていることがほとんどだ．製品化の合理性からいえば当然ともいえる．

バランス入出力とアンバランス入出力の変換プラグアダプターとして，図 **5.6** のようなものが 1,000 円以下で売られている．このアダプターの中身は，

図 5.6　アナログ用のアンバランス−バランス変換のための簡易アダプター。バランスの片側はショート。インピーダンスマッチングが必要なデジタル接続には適さない。

2本の信号線の一方はアースに直接つないでショートされている。上記の1990年代のアンプの例と異なり，入力インピーダンスに合わせた抵抗も入っていないから，ホット側とコールド側のバランスは変わってしまうし，コモンモードノイズの排除効果もない。それでも，使えないわけではないし，音が悪くなるとも言いきれない。ただし，このアダプターは，アナログ専用と考えたほうがよく，インピーダンスマッチングが必要なデジタル接続には適さない。機器によっては，片側ショートでは，デジタル機器が接続を認識しないこともあった。

5.5　アナログ接続のインピーダンス

アナログ信号の接続では，いわゆるインピーダンスマッチングは考えないで大丈夫なことはすでに説明した。しかし，入出力インピーダンスの関係が，どうでもよいわけではない。図 5.7 にはアナログ機器の内部インピーダンスと，伝送先の機器に発生する入力電圧 V_1 の関係を示した。

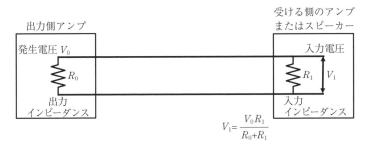

図 5.7　出力インピーダンスと入力インピーダンスの関係

$V_1 = V_0 R_1 / (R_0 + R_1)$ の関係があるため，出力インピーダンス R_0 は，受ける側の入力インピーダンス R_1 より十分に小さくないと，伝送信号が小さくなってしまう。ゆえに，ライン出力端子の出力インピーダンスは数 100 Ω 程度に，プリアンプなどの機器のライン入力の入力インピーダンスは，数十 kΩ～数百 kΩ に設定されていることが多い。

CD プレーヤーなどの出力機器で発生する電圧 V_0 が 1 V，R_0 が 100 Ω，入力されるアンプ側の R_1 が 100 kΩ なら，プリアンプなどの受ける機器側での V_1 は 0.999 V となる。99.9 % が伝わるわけだ。

スピーカーの場合も同様で，スピーカーのインピーダンスが 8 Ω くらいとして，十分に電力を伝えるためには，パワーアンプの出力インピーダンスは，その 100 分の 1 以下などであることが望ましい。

パワーアンプの場合には，この出力インピーダンスとスピーカーのインピーダンス（周波数で変動するので普通はカタログ公称値）との比，R_1/R_0 をダンピングファクターと呼ぶ。昨今のアンプは，この値が 100 以上なのは普通で，カタログ値で 1,000 以上のパワーアンプもある。もっとも，ダンピングファクターが 1,000 ともなれば，R_0 は 0.008 Ω ということなのだから，途中のスピーカーケーブルの抵抗や，切替スイッチとかリレーとかの接触抵抗のほうが大きい可能性がある。

5.6 デジタル接続のインピーダンス

5.5 節に記したように，デジタル接続においては，インピーダンスマッチングは重要である。規格インピーダンスは，RCA と XLR とでは異なる。RCA 端子の場合には，S/PDIF と呼ばれる規格に沿い，インピーダンスは 75 Ω，コネクターは RCA 端子または TOS と呼ばれる光端子になる。光端子については後述するが，光による接続の場合にはインピーダンスマッチングという考え方は必要ない。

一方，XLR 端子の場合には，AES/EBU という業務用のデジタル音声信号伝送規格になる。インピーダンスは 110 Ω である。その他，稀にだが，図 5.3

5.6 デジタル接続のインピーダンス

で示したBNC端子が使われることもある。BNCの場合も、デジタルオーディオ用の規格インピーダンスは75Ωである。

接続には、デジタルケーブルとして設計されたものを使うことが望ましい。アナログケーブルは、インピーダンスが75Ω、または、110Ωとなっている保証がないからだ。

ところで、デジタル出力はRCAだが、相手の入力端子はXLRという場合、またはその逆の場合はどうすればよいだろう。バランス・アンバランスの変換に加え、インピーダンスも変えなければならないから、アナログの時ほど簡単ではない。図5.8に、市販されているデジタル用の変換アダプターの例を示す。このアダプターは、図5.5に示したような簡易なものとは異なり、内部にバランス・アンバランスとインピーダンスを同時に変換するトランスを内蔵している。片側はアンバランスのBNC端子、他端がXLRになっている。XLRのオス・メスで二種類があるので、入手時には気を付けよう。なお、このトランスではバランス・アンバランス間の変換とインピーダンスの変換はするが、S/PDIF規格とABS/EBU規格間の規格変換はできない。そのため、受ける側の機器が対応していないと、信号を認識できないことがある。両規格の差はわずかなので、たいてい大丈夫だが、S/PDIFのみに対応する機種では、うまく信号を認識しない可能性はある。規格まで変換するコンバーターも市販されているので、そちらを選べば確実であるが、トランス式と異なり、アクティブな回路を内蔵するので電源が必要になる。もう一点、このトランスは、アナログ信号の変換には使えないことも注意したい。

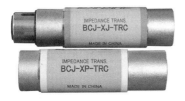

片側がBNCメス（75Ω）、もう一方がXLR（110Ω）になっている。XLR側がオスかメスかで二種類ある。BNC側に75Ω規格のBNC・RCA変換プラグを併用すればRCAプラグ（75Ω）にも変換可能。

図5.8 75Ωアンバランスケーブルと110Ωバランスケーブル間のインピーダンス変換トランス

122   5. 接続ケーブルの科学

デジタルケーブルによる伝送波形をオシロスコープで観察してみたので，紹介しておこう。**図5.9**にオシロスコープで見た波形を示す。サンプリングレートは96 kHzである。なお，オシロスコープへの接続には，6章で示すインピーダンスマッチングのための75 Ωターミネーターを用いている。

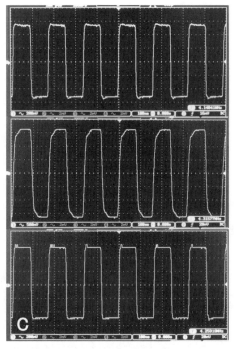

（a） 比較的高級なRCAデジタルケーブルの場合

（b） アナログ用XLR・RCA変換プラグでインピーダンスマッチングを無視してつないだ場合

（c） インピーダンス75 Ωの安いBNCケーブル

図5.9 デジタルケーブルによる伝送波形

図（a）は，比較的高級なRCAデジタルケーブル，長さは0.5 m。当然ながら，正しい伝送がなされていると言えよう。図（b）は，同じRCAデジタルケーブルを使ったが，AES/EBU規格のXLR端子（110 Ω）のデジタル出力に，図5.8のデジタル用変換トランスではなく図5.6で示したアナログ用のXLR・RCA変換プラグを使って，インピーダンスマッチングを無視して110 Ωのデジタル出力を75 ΩのRCAケーブルでつないだ結果だ。確かに反射が増えて，波形は若干乱れている。この程度なら信号ロスはないかもしれないが，やはり

インピーダンスを合わせなければ,確実に波形は乱れる。図 (c) は,BNC ケーブルである。高級品ではなく 1,000 円以下で買えたものではあるが,**図 5.10** のとおり,しっかりと 3C2VS の規格と 75 Ω が記載された高周波用ケーブルであり,当然ながら波形も正しく伝送されている。

図 5.10 実験に使用したごく普通の BNC 高周波用ケーブル

ここで示した程度の波形差なら,0 か 1 かを伝えるだけのデジタル信号の伝送には影響なかろうが,デジタルケーブルに関しては,インピーダンスマッチングに気を使っておくことは,やはり重要である。

オーディオにはあまり使われない BNC 端子であるが,インピーダンスに関連した注意事項として,50 Ω 用と 75 Ω 用では形状が異なる点を知っておこう。**図 5.11** にその違いを示す。困ったことに,違うタイプ同士でも勘合できてしまうので,知らずに違うほうを使ってしまう可能性がある。

50 Ω　　75 Ω

図 5.11 BNC 端子の 50 Ω タイプと 75 Ω タイプの違い

5.7　光デジタルケーブル

光デジタルケーブルは,一般には TOS と呼ばれる**図 5.12** のようなものが使われる。もともと,比較的ローコストのオーディオ機器や DVD プレーヤーなどに使うために設定された歴史があるようで,端子そのものがあまり堅牢でなく,オーディオファンの間では,金属ケーブルのほうが音が良いのではないか,というイメージになっているようだ。実際のところ,光ケーブルは,振動に弱いという弱点はある。演奏中にケーブルの差し込みプラグ(わりとグラグラだ)を触ると,音が途切れてしまうこともあり,ケーブルが振動すると影響

124   5. 接続ケーブルの科学

（a） DVDプレーヤーに　　（b） 一流メーカーのプラ　　（c） 高級品の石英
　　　おまけで付いてきた　　　　　スチックファイバー型　　　　ファイバー型
　　　ケーブル

図5.12　TOS規格の光デジタルケーブル

がありそうである。

　コネクター部に負担をかけないという考えから，あまり外皮が太い光ケーブルは使わないようにしている。もし太い外皮の光ケーブルを使う場合には，ケーブルをしっかり固定し，振動が差し込み部に伝わらないようにするのが大切だ。数メートルしか伝送しないのだから，内部損失が少ないという理由で，石英ファイバーを選ぶのは合理性がなさそうに思う。光ファイバーで最大の損失は，端部で出るはずだからだ。図（a）の格安品は，端面が見るからに荒れていた。一方，やや高価な図（b）のケーブルと，非常に高価な図（c）のケーブルの端面は，明らかに滑らかで綺麗である。光ケーブルを選ぶときには，太さとか中心線材の材質を気にするより，端面の状態のほうが大切ではないかと思っている。

　図5.13には，図5.9と同様の測定系で，TOS規格の光ケーブルによる伝送波形の実測結果を示す。5mの長尺光ケーブル（プラスチックファイバー）を使い，オシロスコープの直前で，TOS・RCA変換アダプター，audio-technica製HDSL1（**図5.14**）によってRCA（75Ω）に変換してオシロスコープに接続している。光信号を直接オシロスコープでは見られないため，波形のゆがみが，光ケーブルに起因するか，変換器か，変換後のRCAデジタルケーブルによるのかわからないが，図5.9（a）と図（c）の結果に比べ，多少，形が丸

5.7 光デジタルケーブル

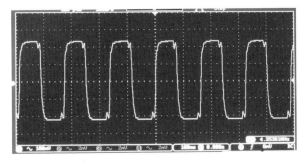

図 5.13 光ケーブルを用いたときの伝送波形

図 5.14 TOS・RCA 変換アダプター HDSL1 (audio-technica 製)

まっているようには見えるものの,パルス伝送として特別に劣っているようには見えない。ミスマッチ接続の図 (b) よりは確実に良いと言えよう。

光ケーブルの規格には,プロ用の規格として,ST 規格も存在する。一時期,高級 CD ドライブと D/A コンバーターに採用されていた時期があり,筆者も接続に使っていた。それが図 5.15 である。バヨネット式のコネクターで,ぐらつき,がたつきがなく,信頼感は TOS より高かったが,いつのまにか民生用オーディオでは見かけなくなってしまったのは残念である。

図 5.15 ST 規格の光ケーブル

126 5. 接続ケーブルの科学

　光ケーブルは，金属線のデジタルケーブルに比べ，取扱いにやや気を使うものの，「長距離伝送に強い」，「機材間のアースを切ることができる」という大きな特徴がある。特に後者は，1章で述べたように，アースループを作らないように配線する場合には，非常に有効なことがある。光ケーブルの弱点ばかりに気を取られず，適切な場所に正しく使う，というのが科学の作法であろう。何しろ今や光通信の時代なのだ。

5.8　デジタル接続での信号ロスと補間の可能性

　最後に，デジタルケーブルで信号ロスがあるのか，ロスした場合には補間されるのか，などについて述べておこう。

　デジタルケーブルで音は変わらないよ，という方もいらっしゃる。筆者もそう思っていた一人だった。実際，金属ケーブルの場合には，その差を聞き分けられたことはない。筆者の体験で，デジタルケーブルで明らかに音が変わったのは（劣化したのは），図5.12（a）の格安TOS端子で，96 kHzの信号を伝送したときの経験だった。これは気のせいでなく明らかに劣化した。失敗した点は，そのケーブルを思わず捨ててしまったので，今となっては測定で確認することが叶わない。しかし，端面がニッパーで切ったのかと思うくらい非常に荒れていたことから，端面で大きく信号を損失し，伝送エラーが多数発生したのであろうと考えられる。

　伝送エラーがケーブルで発生すると何が起こるのだろうか。実は，デジタルケーブルで伝送する信号には，2.9節で学んだようなエラー訂正符号が，S/PDIF規格でもAES/EBU規格でも，含まれない。したがって，伝送中にエラーが発生したら，エラーを訂正して元に戻すことはできないことになる。逆に言えば，それほど伝送中のエラー発生は稀だということでもある。上記の格安光ケーブルのような，よほどの悪条件でなければ，普通は，デジタル情報は完全に伝送されていると考えるのが正しい。

　しかしながら，何かのノイズなどで，読み落とすことはありえるだろう。その時は何が起こるのかを知っておこう。

伝送中のデジタル信号には，エラー訂正符号はないが，パリティーという1ビットの情報が入っている。パリティーには，パリティーと同期信号以外の部分の信号（つまり0か1の数列）の1の個数が奇数なら1が，偶数または0個なら0が入っている[14]。だから，少なくも，パリティーの状態と，受け取った信号が矛盾していれば，その信号が誤りであることはわかる。その場合には，バリディティー（有効性の意味）というビットにエラーを示す旗がたち，以後，このデータは使われない。

使われないといっても，そこを飛ばすわけにはいかないから，何かしなければならないが，どうするかはD/Aコンバーターの設計者に任されているようである。その直前の信号と同じものを繰り返す，などが考えられよう。いずれにしても，ある種の補間が発生して，音は途切れないが，若干悪くなるということはありえるわけだ。

したがって，<u>デジタルケーブルで音は変わるはずがない，</u>というのはデジタルへの過信と言える。一方で，<u>デジタルケーブルを変えるたびに音が全然違う，というのであれば，それはそれでおかしい。</u>何かデータロスしてしまう要素があるのではないか，例えば，インピーダンスに間違いがないか，接触不良はないか，とかを疑ってみるべきだろう。

5.9 接続ケーブルのまとめ

オーディオ機材の中で，接続ケーブルほど，誤解に基づく使い方をされているものはないような気がする。その理由は，使用説明書に当たるものがないからではないだろうか。本章は，その使用説明書も兼ねるつもりで書いてみた。接続ケーブルを変えれば，音が変わることがあるのは事実で，それを音の調整に使うことも間違っていないが，その前に，まずは科学的に正しく接続しよう。調整はその後のことだ。皆さんの接続に間違いがないか，今一度，見直してみてはいかがだろうか。

6. アナログレコードの科学

配信型のデジタルオーディオが増えて CD の販売は減りつつあるが，その一方で，アナログレコードの人気が再燃している．米国では CD の売上数をアナログレコードの売上数が超えたそうだ[15]．本章では，このアナログレコードに関する科学を解説する．アナログレコード†の再生は調整の余地が大きいだけに，その科学を知ることは役立つはずだ．

6.1 レコードに関する Q&A

Q：CD よりレコードのほうが音が良いと聞きました．本当でしょうか．

A：一概にそうは言いきれません．非常に単純化していえば，低コストで調整もせずに楽しむなら CD のほうが良い音でしょう．レコードをオーディオ的な意味での良い音で楽しみたければ，かなりの機材コストに加え，調整などの手間もかかります．音が良いかどうかは個人の感性と思いますが，良い状態で再生したレコードの音は，定位がとても鮮明です．それを AD コンバータで 44.1 kHz の PCM にすると定位が少しぼやけ，CD に近い音になります．

6.2 レコード再生の原理

図 **6.1** の黒い円盤がレコードで，直径 30 cm，厚さ数 mm の塩化ビニール製だ．レコードは時計まわりに 1 分で約 33.3 回転するターンテーブルに乗っている．レコード上には外周から内周に向かって細い溝がらせん状に掘ってあり，その溝には音の振動に合わせた凹凸が刻んである．レコード上の溝の総長は 500 m 前後にもなる．トーンアームという棒の先に付けたカートリッジという

---

† 以下では，アナログレコードを，「レコード」と略す．

図 6.1 レコードとプレーヤー
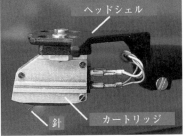
図 6.2 ヘッドシェルとカートリッジ

角砂糖 2 個ほどの大きさの部品にはダイヤモンド製の針が付いていて，それがこの溝をなぞって音を拾う。カートリッジはトーンアームの先端のヘッドシェルに固定されているが（図 6.2），着脱可能で別製品に変えることもできる。トーンアームの支点の反対側にはバランスウエイト（重り）があり，その位置を調整することで，針がレコードに押し付けられる力（針圧）がカートリッジの指定値（通常は 2 g 前後）になるように調整する（図中の IFC については後述）。

6.2.1 音溝の構造

音溝は幅が約 50 μm，深さは約 23 μm の V 字で，先端は直角だ（図 6.3）。1 μm（ミクロン）は 1/1000 mm である。溝壁のレコード内周側には左チャンネル（左 ch）の音が，外周側には右チャンネル（右 ch）の音が刻まれている。2 つの壁に刻まれた振動方向は直交するので，溝に沿って滑るレコード針に，左と右チャンネルの信号を別々に伝えることができる。

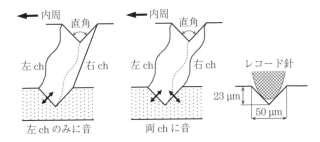
図 6.3 音溝の構造

6.2.2 カートリッジの構造

図 6.4 はカートリッジを真下（レコード側）から見た写真で，ムービングコイル（MC）型と呼ばれるカートリッジの典型的な構造例だ。針先はカンチレバーという細い棒で支えられ，その根元には左右チャンネルで90°方向が異なる十字型コイルがある。カンチレバーとコイルは針先の動きに合わせて動くようにダンパーゴムに固定されている。この周囲には永久磁石で磁場が加えられており，コイルが動くと電磁誘導で電圧が発生する。針と2つのコイルの動きは，音溝の凹凸方向に沿って右左で90°違うので，各チャンネルの音信号を別々に取り出すことができる。このように一本の溝から右と左で別の音を取り出すことができるのがステレオレコードの仕組みだ。

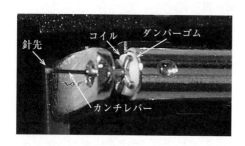

図 6.4 針と内部構造（MC型）。写真は SUMIKO 製 Starling で，外カバーがないので内部がよく見えるが，多くの機種では外カバーで内部のコイルがみえないのが普通だ。

図 6.4 の例では，コイルは十字型に直交しているが，メーカーによってこの構造は異なり，十字でなく四角の芯に巻いてあるの場合や，V字の場合などがある。どれもチャンネルごとの信号を分離する原理は同じだ。

MC型ではコイルが動くが，カンチレバーにコイルでなく小さな磁石を付け，コイルのほうは固定されているムービング・マグネット（MM）型もある。

MC型では，針と一緒に動くコイルは極力軽くしたいから，あまり巻き数を増やせず，基準の音で 0.5 mV くらいの出力なのが普通だ。一方，コイルを動かす必要がない MM 型では重くなってもよいので，巻き数を多くでき，出力は MC 型の 10 倍程度になる。

市場では，高額なカートリッジは MC 型が多く，低価格ほど MM 型が多い。音は，針の形状，カンチレバーの材質，コイルの巻き方，製作精度など，様々

な要因によっても変わり，高額な MC 型はそこにコストがかけられるので音が良くなるとも言える．必ずしも MM 型が大きく劣るわけではない．

CD プレーヤーなどの出力（数百 mV 〜 数 V）には，MM 型カートリッジの出力でも遠く及ばないので，それらと同程度の出力になるようにフォノアンプというアンプを入れてカートリッジの出力を増幅する．さらに出力が低い MC 型では，フォノアンプの増幅度を 10 倍程度大きくするか，MM 型用フォノアンプの前に出力電圧を昇圧する小さなトランスを入れる．フォノアンプやトランスは，プリアンプやプリメインアンプに内蔵されていることも多い．

6.2.3 フォノアンプの周波数特性（RIAA 規格）

MC 型でも MM 型でも，フォノアンプ（別称：フォノイコライザー）の周波数特性はフラットではなく，**図 6.5** に示すような RIAA という国際規格で決まった周波数特性で再生する．最低域 10 Hz から可聴帯域上限 20 kHz までで −40 dB も下がっているが，このようにする理由は以下のとおりだ．

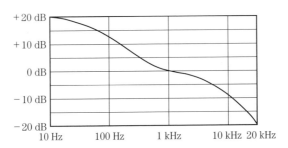

図 6.5 再生時の RIAA 規格特性．コイル式カートリッジのための規格なので，近頃になって製品が増えてきた発光ダイオードと受光素子を使った光電型カートリッジでの再生には適用できない．光電型には専用のフォノアンプが必要だ．

製品のレコードは，ラッカー盤という原盤レコードから金属の型を作って，それを塩化ビニールの円盤にハンコのように押し付けて作る．このラッカー盤の音溝は，カッターという装置で刻むが，カッターは音楽信号をそのまま入れると，同じ音量でも高周波ほど振幅が小さくなる電気的性質がある．溝に刻め

る幅には限度があるので，それをできるだけ有効に使うべく，どの周波数も適切な振幅で溝が刻めるように図6.5の特性の逆の特性で入力している。そして，レコードを再生するときには振幅を元に戻すため，カッターに加えた補正とは逆の図6.5の特性で再生するというわけだ。

6.2.4 レコード針のいろいろな形状

最も初期からある針形状は先端が半球状のもので，通称「丸針」と呼ばれる。丸針の先端の直径は，レコードのV字溝に合うように40 µm（半径20 µm）程度で，この半球がV溝と当たる部分の直径は28 µmくらいである。**図6.6**に，その針形状のイメージを示した。

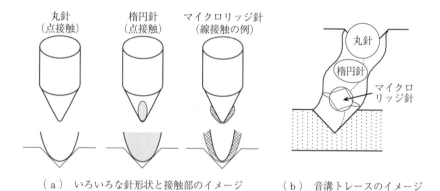

（a）いろいろな針形状と接触部のイメージ　　（b）音溝トレースのイメージ

図6.6 レコード針のいろいろな形状

溝内を針が移動する速さはレコード盤の内周に行くほど遅い。かなり内側の半径80 mmの場所で考えることにすると，毎秒280 mm程度だ。そこに1万Hzの信号を1周期分刻むと，その長さは約28 µm（＝280 mm/1万Hz）と，針の接触円の直径と同じくらいになる。直径40 µmの丸針で音をうまく追跡(トレース)できるのはこの程度の周波数までに思える。高周波の特性を改善するために，溝に沿う方向から見た針の直径を溝の幅よりずっと小さくするわけにはいかない。そこで考えられたのが，丸針の前面と後面を削って，溝壁に当たる部分の幅だけを狭くした楕円針だ（実際の形状は楕円ではない）。楕円針の

壁接触部の幅は丸針の半分くらいになり，高音域まで正しくトレースできる。

それなら，楕円針の前後面をもっと削ってしまえばよさそうなものだが，それには問題がある。丸針でも楕円針でも，壁との接点は小さな点状だ。丸針で直径約 6 μm の円で接する。その接触部の面積は 100 万分の 30 mm^2 と相当に小さい。楕円針ではそれがさらに 2/3 ほどに小さくなる。

仮に針圧を 2 g として，針接点でレコードにかかる面積当りの力を計算してみると，楕円針では，1 mm^2 当り換算で 50 kg にもなる。レコード表面はこの圧力で変形する。塩化ビニールは柔軟なので，針が通過すれば形状は戻るが，針通過時の変形が大きいほど，再生音は歪んでしまう。それゆえ，楕円針をさらに薄く削っていくことは難しい。

解決策は，針形状を半球ではない形状に精密加工して，接触部が点状でなく縦に長い線状にすることだ。それらをラインコンタクト針という。

現代はダイヤモンド加工技術が進化して，楕円針よりずっと複雑な形状の様々なラインコンタクト針ができるようになった。図 6.6 には，その一例としてマイクロリッジ針 ®（Orbray 株式会社）という形状を示した。接触部は板状にまで削られていて，縦に長い接触面積は楕円針の 3 倍もあるからレコード盤に無理な圧力をかけずに済むが，接触する部分の，進行方向の板厚は数 μm なので，丸針や楕円針より高音域まで正しくトレースできる。マイクロリッジ針以外にも，様々な形状のラインコンタクト針が商品化されている。

6.3 レコードプレーヤーのアース

第 1 章では，レコードプレーヤーを扱わなかったので，機器のアース端子は，繋いで良い場合と繋がないほうが良い場合がある，と整理した。しかし，レコードプレーヤーのアース端子の場合は，接地端子（本当のアース）に繋ぐのは必須ではないが，フォノアンプなどの機器のアース端子とは必ず繋がなければならない。図 6.7 でその理由を説明する。

カートリッジ内のコイルからの電線は，多くの場合，トーンアーム内を通って引き出される。トーンアームの回転を妨げないように，ここでは曲がりにく

134   6. アナログレコードの科学

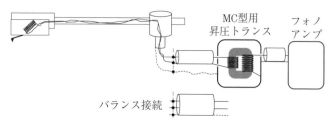

図 6.7 レコードプレーヤーの配線概念（片チャンネルのみ）

い同軸ケーブルは使えず，チャンネルごとに正負2本，計4本の細い線を使う。そこで，図の破線ようにトーンアームからアース線を出して繋ぎ，トーンアームのパイプを同軸ケーブルのシールドに代えることでノイズを拾いにくくしている。これだけならプレーヤーの出力端子部でこのアースとコイルからの信号線のマイナスを繋いでしまえばよさそうだが，普通は，図の破線のようにプレーヤーのアース端子は別の線をあえて使い，フォノアンプや，MC型カートリッジ用昇圧トランスのアース端子に繋ぐことが指示されている。

このようにすると，図のように初段が昇圧トランスの場合，トーンアーム部は5.4節で説明したバランス接続の状態でつなぐことになり，ノイズに強い接続になる。アンプの増幅度が高くできなかった真空管時代には必ず昇圧トランスを使ったので，その規格が今も残る。MC型でも昇圧トランスが不要な現代の半導体アンプでは，初段がアンバランスアンプ（5.4節）になっていることがあり，その場合は，トーンアームパイプのシールド効果のみでバランス接続の効果はない。最近は，初段にバランスアンプを使い，接続ケーブルもXLR端子のバランスケーブル（図6.7の下段）が使える機材もある。

6.4　トーンアームの形状

カートリッジを支えるトーンアームは，通常は直線の棒ではなく，J字やS字に曲がっている。これはなぜかを考えよう。

図 6.8（a）にまっすぐな直線型アームを示した。針がトレースする方向は，溝の円周の接線に一致しているのが理想だ。しかし，支点で回転するアームで

6.4 トーンアームの形状

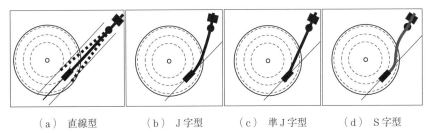

（a）直線型　　（b）J字型　　（c）準J字型　　（d）S字型

図 6.8 各種のトーンアーム形状。（c）をストレート型や直線型と呼ぶこともあるが，（a）と紛らわしいので，本書では（c）は準J字型と呼ぶ。

は，この条件をレコード上のすべての場所で満たすことはできず，図の太い破線のように接線方向から多少ズレる。このズレをトラッキングエラー角という。直線型アームでトラッキングエラー角を減らすには，アームを長くすればよいが，アームを長くすれば，プレーヤーが大きくなってしまう。

　プレーヤーをコンパクトにしつつ，トラッキングエラー角も少なくしようと考えたのが，図（b）のJ字型アームだ。詳細は略すが，うまく配置するとレコード上の2か所でトラッキングエラー角をゼロにでき，その他の位置でのエラー角も小さくできる。しかし，J字型は正面から見て左が重い。この左右重量のバランス（ラテラルバランス）をとるための重りを付けると，カートリッジの重さによりこの重り位置の変更が必要になる。そこで，カートリッジの重さに関係なくラテラルバランスも取れるように工夫したのが，直線のアームの先にヘッドシェルだけを斜めに付けた図（c）の準J字型アームと，図（d）のS字型アームだ。

　J字型，準J字型，S字型では，アームの根本付近は音溝の接線上から外れる。針先とアーム支点を結んだ線とカートリッジが向いている方向の角度差をアームのオフセット角という。準J字型なら，アームとヘッドシェルの角度がオフセット角そのものになっていてわかりやすいが，他のアームでも意味するところは同じだ。そして，直線型アームではオフセット角はゼロだ。オフセット角があることで，トラッキングエラー角は小さく維持しつつ，プレーヤーはコンパクトにできるのだが，実は良いことばかりではない。それが次節で述べるイ

ンサードフォースの発生である。

6.5 インサイドフォースの力学

J字型やS字型にしてアームにオフセット角を付けたことで，インサイドフォースという厄介な力が発生する。この発生原理を解説しよう。通常は「力のベクトル（**図 6.9**）」で説明することが多いが，アームの反力（コラム参照）とか，少しわかりにくい概念が登場する。そこで，次の6.5.1項ではベクトルや反力の概念は使わず，直感でわかる説明をしてみよう。ベクトル図ですぐわかる方には，この説明はむしろわかりにくいであろうことを先にお詫びしておく。

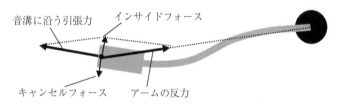

図 6.9　力のベクトルで表したインサイドフォース

コラム：アームの反力がインサイドフォースを生む

針先が引っ張られる力はアームを通してアーム根本の回転軸に伝わり，回転軸はアームが引っ張られて動かぬための力（反力）を発生。その反力の方向は針先が引っ張られる力とオフセット角だけ異なるので，インサイドフォースが発生する。

6.5.1　インサイドフォースの発生原理

図 6.10 の左にはJ字型アームが描いてある。インサイドフォースにラテラルバランスは関係ないので，アームの形状が何であっても，針位置，カートリッジの方向，アームの回転中心の関係さえ変わらなければ，アームや針先にかかる力とその向きは同じである。そこで，図6.10の右側に太い破線で描いた逆L字型のアームを頭の中でイメージしながら考えると，以下の説明が直感的に

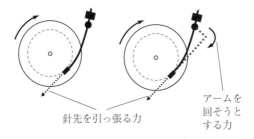

図 6.10 インサイドフォースの発生原理

わかりやすい。ただし，J 字でも S 字でも L 字でも，実際の力の関係はまったく同じだ。

　レコードが回転していることで，針先は，図中に細い破線矢印で示した力を受ける。すなわち，溝の円周の接線方向に針先は引っ張られる。オフセット角があるから，針先の引っ張り力は，図に示したように，アームを時計方向に回転させようとする力になる。しかし，針先は溝から外れないから，回ろうとするアームは針先を時計回り，つまり内向きに押すことになる。これがインサイドフォースの発生原理だ。

　なお，インサイドフォースの発生はオフセット角が原因なので，オフセット角がない直線アームならインサイドフォースは発生しない。

> **コラム：リニアトラッキングアーム**
> 　トラッキングエラー角を完全になくすには，単純な回転式アームでは無理で，図のように横向きのシャフト上をアームが平行に滑るリニアトラッキングアームか，アームがアクティブに変形するような構造が必要だ。これらは構造が複雑なために，あまり普及はしていない。

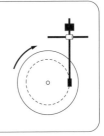

　針は，指定の針圧で溝に押し付けられているのだが，インサイドフォースがあると，それに加えて，アームが針先を溝の内周側に押し付けることになる。それゆえ，内周側の溝への針圧は大きく外周側の溝への針圧は小さくなり，左

右で針圧のバランスが狂ってしまう。アームはカンチレバーを介して針先を押すから、カンチレバーはその力で、レコード再生中は外周向きに押され続ける（図 6.11）。その結果、長い間にゴムダンパーが変形して、カンチレバーの方向が外向きに曲がってしまうことさえある。

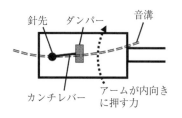

図 6.11 インサイドフォースによってカンチレバーにかかる力

6.5.2 インサイドフォースキャンセラー

インサイドフォースが「アームが回ろうとする力」であると理解できれば、そのキャンセル方法も簡単にわかる。図 6.12 のように、回ろうとする力と反対向きにアームを回す力を加えればよい。図 6.9 のベクトル図では、この力を「キャンセルフォース」と示してある。

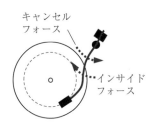

図 6.12 インサイドフォースのキャンセル

図 6.1 に示した「IFC」はインサイドフォースキャンセラーの略で、このアームの場合は、磁石の力を使ってアームを外向きに引っ張るようになっており、IFC と示した部分は、その調整ダイヤルである。

インサイドフォースは、針先がレコードの回転で接線方向に引っ張られる力で起こる。よって、引っ張り力は、針をレコードに押し付けている力、すなわち針圧に比例する。原則として、針圧が 2g の時には IFC 調整ダイヤルを 2g にすればよい。これはインサイドフォースキャンセル力が 2g 加わるという意味ではなく、針圧 2g の時に想定されるインサイドフォースをキャンセルできる力が加わる、という意味である。「原則として」の意味は次節で解説する。

IFC は、磁石式ばかりではなく、重りで引っ張る仕組みもある。注意深くアー

ムを見ていると，小さな重りが糸や細い棒でぶらさがっていることがある．それが IFC だ．この方式では，針圧によって糸をかける位置や重りの位置を変えることで力を調整する．

6.5.3 インサイドフォースは針の形状で変わる

図 6.13 では，板の上に同じ石ブロックが 2 つの姿勢で置かれている．この石を動かすときの摩擦力は違うだろうか．中学校の物理では，この石を動かすとき

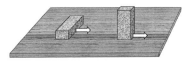

図 6.13 摩擦力

の摩擦力は石の重さだけで決まり置く姿勢に寄らない，つまり重さが同じなら接触面積によって摩擦力は変わらないと習った．

しかし，このように言えるのは，下の板は石の重さで変形しないと仮定したからなのだ．もし板でなく変形するスポンジだと思えば，縦置きのほうが沈み込んで動かしにくいに違いない．6.2.4 項で述べたように，レコードの針先には 1 mm^2 当り数十 kg の面圧がかかっていて，レコード面の変形を無視できない．それゆえ，針圧が同じであっても，接触面積が大きく面圧が低いほうが，摩擦力は小さい．接触面積は，楕円針，丸針，ラインコンタクト針の順に増えるから，インサイドフォースはこの順で小さくなる．ただし，接触面積に反比例するとは限らない．

ラインコンタクト針で楕円針と同じ IFC の設定にすると，キャンセル力が大きすぎて，図 6.11 とは逆の力がカンチレバーにかかり，長い間には，カンチレバーが内周側に曲がってしまう．そうならないために，ラインコンタクト針では IFC の設定を針圧の半分程度の数値にしておくことを推奨する．これが前節で「原則として」と書いた理由だ．例として，ラインコンタクト針を用いた van den Hul 社製のカートリッジ MC-10S の説明書には，針圧 1.35～1.5 g に対して，IFC は 0.6 g～0.9 g に設定するように指示されていた．

半分程度というのはあいまいな言い方だが，残念ながら，インサイドフォースは計測することが難しい．音を聞いて判定するという方法もあるが，差が微

妙で，正しく調整できたことの確認方法もない。音溝に記録されている信号の大きさでも摩擦抵抗が変わってしまうから，常に正しくキャンセルするというのは不可能とも言える。そのように考えてくると，トラッキングエラーが多少増えてプレーヤーも大型にはなるが，間違ったインサイドフォースをかける恐れがない直線型アームにもメリットがある。そのような視点からなのか，最近，直線型アームを採用するメーカーも出てきている。

> **コラム：インサイドフォース計測レコード？**
> オーディオ用計測レコードには，インサイドフォース計測用と称する，音溝がないつるつるの部分が用意されていることがある。しかし，ここで計測してよいのは，音溝での接触形状がつるつる面への接触形状とほぼ同じである「丸針」だけだ。楕円針やラインコンタクト針では，45°傾いた音溝との接触面よりつるつる面に当たる先端のほうがとがっていて，その接触面積は音溝との接触面積よりずっと小さく，しかも接触箇所も左右の2点でなく垂直に1点なのもあって，かなり過大なインサイドフォースが計測される。丸針でも，計測値は目安くらいに思ったほうがよい。

6.6 カートリッジ傾きの調整と特性変化

6.6.1 カートリッジのアジマスとは

トーンアームはレコード盤面に対して水平が理想だ。また，カートリッジは正面から見て盤面に垂直に（ヘッドシェルは水平に）設置する必要がある（図6.14）。それぞれの設置状態を水平アジマスと垂直アジマスという。

1) **水平アジマス**　水平アジマスが狂えば，針が音溝に垂直に当たらない。

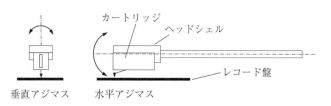

図 6.14　カートリッジのアジマス

点接触の丸針や楕円針なら多少の傾きは問題なさそうだが，ラインコンタクト針では接触面が縦長だから，それが傾けば，トレース精度は落ちるだろう。

しかし，レコードは厚みが決まっておらず，1.5 mm 程度の薄いものから，3 mm 弱のかなり厚い重量盤まであるし，レコード盤は完全な平面でなく，多少は反りがあるものなので，再生中に見ていると，針先は結構上下に動く。それゆえ，水平アジマスは気にする必要はあるものの，こだわってもどうにもならない部分がある。また，耳で敏感にわかる左右差には影響がない。

> **コラム：水平アジマス調整機構**
> 水平アジマスはトーンアームの軸受けを上下に動かして調整できることが多い。それが動かせないトーンアームでは，ヘッドシェルとカートリッジの間に入れるスペーサーの厚みを変える。カートリッジが付属するローコストモデルでは調整できないこともある。

2) 垂直アジマス　　音の左右バランスに影響する垂直アジマスは，ヘッドシェルの傾きを水平（またはカートリッジを垂直）にするのが基準にはなるが，本当に大事なのは，ヘッドシェルの水平ではなく，レコード盤に垂直の線に対して，<u>内部のコイル</u>が正しくプラス 45°とマイナス 45°になっているかである。一方，針も正しく垂直に音溝にあたる必要があるが，前述のとおり接触面の変形もあり，またラインコンタクト針でも多少は丸みがあるので，垂直アジマスの誤差に針先は比較的寛容なので，上記のコイル角度のほうが重要だ。

図 6.15 にコイルとレコード面の垂線との関係を示す。図（a）は，左右チャ

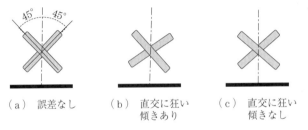

図 6.15　カートリッジ内のコイルの傾きのイメージ

ネル用の両コイルは直交しており，しかも，垂線から45°づつ対称に傾いた状態。これが理想的だが，現実には必ず誤差がある。現実の状態は，ちょっと大げさに描けば，図（b）のようにコイルの直交性に多少の狂いがあり，全体的にも多少は傾いているだろう。

この場合，何が起こるのか考えよう。これ以後，左右の音楽信号を主音声，主音声の左右間の漏れをクロストークと呼ぶ。図（b）の状態では主音声のチャンネル間バランスが狂いそうだが，実際はそうでもないことをこの後説明する。一方，45°からずれると，クロストークは確実に増え，傾き方が異なれば，クロストーク量が左右で異なるだろう。垂線から45°に近いほうのコイルへのクロストークが小さく，45°から遠いほうは大きいはずだ。

コイルの直交性は直せないから，ユーザーにできる調整は，垂直アジマスを調整して図（b）を図（c）にすることだ。これによって，左右間の音バランスがそろうことになる。

コラム：垂直アジマス調整機構

図6.2の写真のヘッドシェルのつけ根に見える小ネジを緩めるとヘッドシェルが回転できる。ネジがトーンアーム側にある製品もある。ヘッドシェルがトーンアームと一体になっていて回せなくても，トーンアームの軸受け側のほうで回せるようになっていることがある。まったく調整できないトーンアームもある。

カートリッジの使用説明書に，カートリッジ本体をレコード面に垂直に取り付けるように書かれている場合，製品の定格はそれだけで満たす精度にできているはずだ。しかし，製品基準には必ず許容誤差がある。以下に解説するように，垂直アジマスを，単にレコード面に垂直からさらに微調整できれば，製品の定格値を超えることができるかもしれないのだ。

それゆえ，以下の調整の解説は，商品の不完全性を指摘しているのではなく，定格以上の性能の引き出しを試みるための説明である点をご理解いただきたい。カートリッジ，とりわけ針とカンチレバーは繊細で壊れやすいので，調整

する場合は,「メーカーの指定を超えたことをする」という認識のもと,十分な注意の上で行うようにしてほしい.

6.6.2 垂直アジマスの調整とその効果

まず,カートリッジの外観だけで調整した結果例を示そう.ここでは,DENON 製 DL-103 カートリッジ(MC 型)の例を示すことにする.DL-103 は,5 万円以内で買える MC 型としては比較的低コストの製品だが,その歴史は長く,愛用者も多い.針は丸針であるが,非常に聴きやすく,ファンが多いのも納得のカートリッジと思う.クロストーク定格値は −25 dB で,−15 dB 〜 −20 dB の製品もある中,優秀である.

DL-103 の使用説明書では,カートリッジ前面にある縦の白線をレコード面に反射させ,それが本体の白線と一直線に見えるように垂直アジマスを調整することが指定されている.そのとおりに設置したのが,図 6.16 の状態だ.

この状態で主音声の周波数特性とクロストーク特性を実測した.計測方法は,日本オーディオ協会によるオーディオ計測用

図 6.16 外観上で垂直に設置

LP レコード AD-1 のピンクノイズと第 4 章でも紹介した DEQ2496 の RTA(周波数特性計測)機能を使っている.左主音声だけと右主音声だけの 2 つのピンクノイズがあるので,左右それぞれの主音声周波数特性,左から右,右から左に漏れるクロストークを 4 回に分けて測っているが,図 6.17 ではそれらを 1 枚の図に合成してある.

主音声の周波数特性は緩やかに右下がりだがまっすぐな特性で,左右偏差も定格の ±1 dB 以内をクリアしている.クロストーク(上段の主音声からの差)は右から左へのクロストークのほうが多いが,それでも定格値の −25 dB は超えているのが確認できる.使用説明書の指定通りに白線を垂直にする設置で定

144   6. アナログレコードの科学

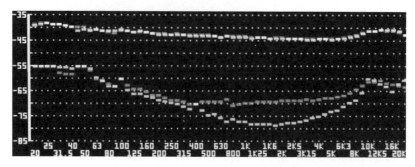

図 6.17 垂直アジマス微調整前の周波数特性とクロストーク。縦軸単位は dB、白が左 ch、グレーが右 ch、上段が主音声の周波数特性、下段がクロストーク。

格値を満たしているのだから、期待される性能を十分発揮しているといってよい。

左右のクロストークに大きな差があるのは、もっと高価な他のカートリッジでもよくあることである[†]。これは、コイルの状態が図 6.15（b）の状態にあることを意味する。垂直アジマスを微調整すれば、両チャンネルのクロストーク差を縮めることが可能だ。

垂直アジマスの調整では、1/4°くらいの変化が読み取れる必要があった。そのために筆者が最初に作った垂直アジマス計測器が**図 6.18** 左の写真だ。ヘッ

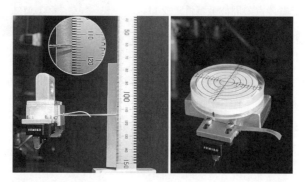

図 6.18 垂直アジマス計測器2種類。カートリッジを着脱すると垂直アジマスは少し変わってしまうものなので、着脱ごとに取付角の確認が必要だ。

[†] ドイツの Low Beats というサイトには多数の計測結果があり参考になる。https://www.lowbeats.de/artikel/test/phono/tonabnehmer-mc/、同 -mm/
なお、このページを見るには英語でなくドイツ語を選ぶ必要がある。

ドシェルから 57 mm の針を出して，先端 1 mm の動きで 1° を読み取る。これは役に立ったが，この面倒な工作はあまり一般向けではないので，市販の水泡式水準器でも計測できないかを確かめたのが同図の右だ。

このようにヘッドシェルの上に直径 40 mm の水準器を載せられれば，泡の位置から 1/4° くらいの精度で傾きの変化が読み取れたので，これでも十分に使える。シェルにうまく載せる台だけを考えればよい。なお，調整中の角度計測はアームをアーム台に固定して行う。角度計測は再生中のアジマスを実測したいのではなく，動いた角度を確認しつつ調整するのが目的である。<u>絶対に，再生中に水準器を載せて計測してはいけない</u>。

角度修正とクロストークの計測を繰り返しながら，クロストーク差を最少化した結果が，図 6.19 である。調整は 1° 以下だが，クロストークのバランスは画期的に改善されたのがわかる。

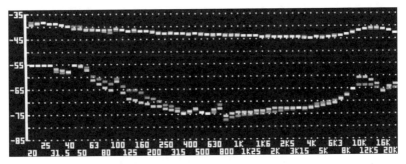

図 6.19　垂直アジマス微調整後の周波数特性とクロストーク。縦軸単位は dB，白が左 ch，グレーが右 ch，上段が主音声の周波数特性，下段がクロストーク。

一方，この垂直アジマスの微調整で，主音声の左右差はほとんど変化がないことがわかる。この理由は少し難しいが下記のコラムに説明してある。この微調整により，主音声の左右差は同じ精度のまま，両チャンネルともクロストークが約 −30 dB と揃い，しかも定格 −25 dB より高い数値が実現している。精密な垂直アジマス調整により定格値を超えることが可能になった例である。これまで，多数のカートリッジで同様の調整効果が得られた。

クロストークが左右でそろっても，主音声の周波数特性はほとんど変わらな

いので,何となく定位が安定したという以上の違いは,はじめはわからない。しかし,例えばソプラノ歌手が声をはりあげたときなど,ホールの反響と思っていた声のまわりのエコーのような付帯音が完全に左右対称になったのがはっきりわかる。このクロストークの左右差は,いったんわかるようになると,比較的小音量でも,差が聞き分けられるようになってくる。クロストークはないに越したことはないが,レコードの再生では避けられないから,左右はそろっていたほうがよい。

> **コラム:垂直アジマス調整でクロストークだけが変化する理由**
>
> 図のように,コサインカーブは0°付近では角度による変化が最も緩やかで,逆に90°付近では最も急だ。微小な角度Δの垂直アジマスの変化に対し,主音声は$\cos(\Delta)$に比例し,クロストークは$\cos(90° + \Delta)$に比例するので,Δ=±1°の変化でクロストーク成分は主音声の100倍以上も大きく変わる。このことから,垂直アジマスの調整により,主音声の左右バランスを変えずにクロストークの左右バランスだけを調整することができる。
>
>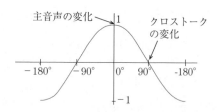

6.7 レコードのダスト対策

レコード上にダストがあるとパチパチ音がするが,今は静電気防止技術が進展して,ダストによるパチパチ音はかなり減らすことができる。

最も効果があるのは,数10万円するレコードクリーニングマシンを使うことだ。マシンによるクリーニングをレコード1枚数百円くらいで請け負うサービスもあるので,気楽にクリーニング効果を試すこともできる。

クリーニングするとパチパチ音が減るのに加え,音が鮮明な方向に変わる。よく言われるのは,新品のレコードでもクリーニングで音が良くなることだ。これは,迷信ではなく,音が良い方向に変わるのには理由がある。クリーニン

ग後に，音と同時に大きく変わるのは，レコード表面の摩擦抵抗だ。レコードブラシ等で拭うときの抵抗が激減する。これは洗浄液に静電気防止の界面活性剤が入っており，その分子膜がレコード面を覆うからだ。

針はミクロン（1/1000 mm）で分子膜はナノ（1/1000000 mm）なので，分子膜の厚みで溝形状が変わって再生音が変わるとは考えられない。音が変わるのは，界面活性効果により摩擦抵抗が減るからだと考えるほうが合理的だ。音溝の凹凸は針によって変形しながら再生が行われる。だから摩擦抵抗が少なくてスイスイ滑ったほうが，引っ張りによる変形が減って正確にトレースできるはずだ。それが音に現れると考えれば，新品レコードでさえ音が変わるのも合理的に説明できる。また，盤質が悪くパチパチ音が減らない場合にも，音質は同じく変化するが，これも同様に説明できる。

ところで，高額なマシンでなく，同じく界面活性剤が入っているレコードスプレーを使うのはどうだろう。オーディオの伝説として「レコードスプレーは音が悪くなる」というのがある。しかし，実際のところ，筆者にはレコードスプレーでも，クリーニングマシンでも，音の変化は同じにしか感じられない。

1960年代くらいまでのスプレーは，毎回スプレーしないと静電気は除去できず，その効果も不十分で，おまけに，再生後には針先にスプレー成分がこびりついて音は悪くなった。そのころからの言い伝えで，スプレーは音が悪くなる説が今も残っているのではないだろうか。界面活性剤の進歩で，現代のスプレーは品質が変わったようだ。高価な自動クリーニングマシンも便利ではあるが，節約と言う意味ではスプレーもお勧めしたい。

筆者は，アルコールを含むタイプのスプレーをレコード全面が濡れるほど使い，レコード用の固めのナイロンブラシで擦ったあと，柔らかい吸湿紙を何枚も使って強くふき取る。すべてクリーニング用のターンテーブル（古いプレーヤーでも可）の上で行い，必ず音溝に沿う方向に拭う。静電気は二度と発生しなくなり，パチパチ音も激減する[†]。ただし，クリーニングマシンのようにバ

[†] 参考までだが，摩擦が減ればインサイドフォースも減るので，筆者は界面活性処理後はラインコンタクト針でのIFCの設定を針圧値の1/4くらいまで下げている。

キュームでダストを吸い取るわけではないので，最初の数回の再生で針には大きなダストがたくさん絡みつくが，静電気がないので，数回再生するうちにダストは付かなくなる。吸湿紙が，光学レンズの清掃などでも使われる繊維が残らないものをお勧めする。商品名はキムワイプ M-150 といい通販で入手が可能だ。キムワイプよりは高価だが，レコード清掃用という吸湿紙もあるのでそれを選ばれるのもよいだろう。

6.8 フォノケーブルで音は変わる？

プレーヤーとフォノアンプを結ぶケーブルをフォノケーブルという。先に答えを書けば，フォノケーブルで音は変わる。RTA の計測では差が見えないのに音が変わったと感じたケースで，確認のための筆者の奥の手を紹介しよう。モノラル音源か，ボーカルやバイオリンが中央にいて左右のバランスがよいステレオ音源を再生し，片チャンネルだけのケーブルを変えてみる。これで何も変わらなければ変化は気のせいかもしれないが，あるフォノケーブルでは左右バランスが変化し，音の定位もかなりずれたので，音が変わったのは気のせいではなかった。音が変わったのが確信できれば，価格に寄らず，好きな音のケーブルを自信を持って選ぶことができよう。

6.9 アナログレコードの科学のまとめ

デジタル機器と異なり，アナログ機器は特性変化がアマチュアにも実測できてしまうので，科学的事実がわりと明確になる。ただし，アマチュアの計測器では見えない差でも，確かに耳では聴こえることがあり，すべて気のせいなどということはできない。それを認識したうえで，本章では，科学的事実とわかっていることや，筆者の経験のうち合理的に説明できることの例を記載した。このほかにも音が変わる要素は色々ある。そこがアナログの面白さなので，本書も参考に，楽しみながら調整されるとよいと思う。

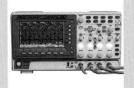

7. あると役立つ測定機材

昨今は，デジタル技術のおかげで，昔は一般のオーディオファンには手が出なかったような測定機材も，わりと安く買えるようになった。オーディオの調整等で，役に立ちそうな機材を紹介しておこう。

7.1 リアルタイムアナライザー（RTA）

5章ですでに紹介したが，ピンクノイズを使って部屋の音響状態（周波数特性など）を計測する道具がRTAである。リアルタイムの名のとおり，その場で変化が見えるので，音響の調整には大いに役立つ。

ホームオーディオ用のRTA専用機材としては，図4.12で紹介したPhonic社製PAA3を挙げておく。31バンドのRTAである。本体にピンクノイズの発生機能もあるが，CD-ROMでピンクノイズを含む試験用音源も付属する。価格は変動するが，おおむね4万円くらいだ。Windows用アプリが付属し，パソコンとPAA3をUSBケーブルでつなぎ，RTAによる計測特性をパソコン画面に大きく表示することができる。

グラフィックイコライザーとして4章で紹介したBehringer DEQ2496も，61バンドのRTA機能とピンクノイズの発生機能を備える（4章コラム参照）。こちらは4〜5万円で買えるだろう。ただし，RTA機能を使うには，別途，測定用マイクロホンを用意する必要がある。同じBehringerの計測用マイクロホンECM-8000が組み合わされている使用例が多いようだ（図7.1）。これは1万円くらいで購入可能である。ケーブルは付属しないので，バランスタイプ

図7.1 Behringer ECM8000 計測用マイクロホン

150   7. あると役立つ測定機材

(XLR端子)のマイクケーブルも一緒に入手する必要がある。このマイクロホンは，キャリブレーションされていないから，絶対精度は求められないが，部屋の特性の計測くらいでは，大きな支障はないだろう。DEQ2496の弱点は，GEQ調整中には，RTAが見えないことだ。その点でPAA3が使いやすい。

7.2　マルチチャンネル　オシロスコープ

最近は，オシロスコープも4～5万円から買える。多少高いが，4ch入力のタイプを買っておけば，いろいろと便利かもしれない。ここではテクシオ・テクノロジー製デジタルストレージオシロスコープDCS-1054Bを紹介しておこう（**図7.2**）。実売価格で8万円程度と思う。

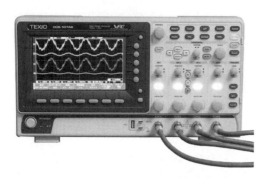

図7.2　4chオシロスコープ（テクシオ・テクノロジー製DCS-1054B）

図7.3　75 Ω BNC メス・RCA メス変換プラグ

オシロスコープの入力端子は必ずBNC型なので，そこにオーディオ用のRCAケーブルをつなぐには，BNCメス・RCAメス変換プラグ（**図7.3**）が必要になる。20 kHzまでのアナログオーディオ信号なら，このアダプターを介してつなぐだけでよいが，MHz帯になるデジタルオーディオ信号を計測するときは，オシロスコープの入力端子でもインピーダンスマッチングが必要になる。そのため，BNCメス・RCAメス変換プラグも始めから75 Ωタイプを選んでおくとよい（図7.3は75 Ωタイプ）。そして，オシロスコープの入力端子部では，75 Ωのターミネーターを，BNC 2分岐プラグ（これも75 Ωタイプのもの）を介して回路に並列に入れる必要がある（**図7.4**）。

7.3 赤外線温度計　　151

ターミネーターとは，ケーブルのオシロスコープ側の末端でインピーダンス整合をとるためのプラグの形の部品だ．注意したい点は，デジタルオーディオ信号の RCA 出力端子やデジタルケーブルは，規格インピーダンスが 75 Ω であるが，BNC 用に売られているターミネーターは 50 Ω のことがある．

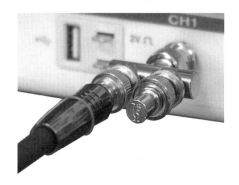

図 7.4　ターミネーター（75 Ω）と BNC 2 分岐アダプター

オーディオ用には 75 Ω のターミネーターを選ぶ必要がある．

7.3　赤外線温度計

物体から放射される赤外光のスペクトル分布が，その物体の表面の可視光下での色にあまり関係なく，表面温度でほぼ決まることを利用して，物体面から放射される赤外線から温度を推定する装置が，赤外線温度計だ（図 7.5）．ネットや雑貨店で，数千円で購入可能だろう．

図 7.5　赤外線温度計

筆者が主に利用しているのは，レコード用カートリッジの温度管理である．カートリッジは演奏中にも自己発熱しないので，冬場にいったん温度が下がってしまうと，暖房で室内の空気は温まっても，カートリッジの温度が使用に適した温度（20 ℃ 前後）になるのには，さらに数時間がかかる．真冬はアナログディスクの調子が悪いと思っている方は，温度を確認されるとよい．筆者は，18 ℃ ～ 25 ℃ で使うようにしている．

そのほか，アンプなどの機材の温度測定を行い，オーバーヒートしている機材がないことを確認している．ラックなどに入れておくと，意外なほど高温に

なっていることがある。A級アンプのような特別に発熱が大きい機材でなければ，表面温度では40℃を超えることはあまり見かけない。

7.4　レーザー式精密距離計

図7.6　レーザー式精密距離計

　レーザー光線を放射し，その反射から対象までの距離を測ることができる機器だ（図7.6）。最近は，ずいぶん安くかつ高精度になって，1万円以下で買える機材でも，計測誤差が1mm程度である。天井の高さなどは，巻き尺で測るのは大変だが，この機材なら簡単に精度良く測れる。聴取位置から左右スピーカーまでの距離をそろえることもできる。かつては，筆者も，壁との距離や床の模様などを基準に巻き尺を使ってスピーカーの位置を合わせていたが，レーザー距離計で測り直すと1〜2cmくらいの差が出ていた。また，レーザー光線が赤く見えるので，スピーカーの方向を合わせたりするレーザーポインターとしても利用可能だ。使用時には目にレーザーが入らぬように気を付けよう。オーディオ用に使っている話をあまり聞かないが，これは非常に役に立つ機材だと思っている。

7.5　非接触電流計

　パワーアンプに，dB表示ではなくワット数で表示される出力メーターがない場合，パワーアンプから出ている本当のパワーを知るのは簡単ではない。出力パワーP（ワット）と，出力電圧V（ボルト），出力電流I（アンペア），スピーカーのインピーダンスR（オーム）の関係は，VとR，またはVとIを使って二種類に書けて

$$P = V^2 \div R \tag{1}$$

$$P = V \times I \tag{2}$$

7.5 非接触電流計

である。式（1）のRは，スピーカー公称値（8オームとか）のことでなはく，周波数で変わる数値だ。インピーダンスの周波数特性が公表されている場合もそれは無響室で測ったものなので，共鳴がある通常の部屋でのインピーダンスとは異なる。そこでRが出てこない式（2）を使うことにすると，電圧Vに加え，電流Iも計測する必要がある。

電圧Vは，アンプ出力の±端子間の電圧を交流モードにした電圧計で測ればよい。問題なのは電流Iのほうだ。直接的なのは，スピーカーケーブルを切って，その途中に電流計を入れることだが，いろいろな意味でこれはしたくないだろう。そこで役立つのが，非接触電流計である（**図 7.7**）。昨今は安くなって，1万円以下で買えるようだ。

図 7.7 非接触電流計（BSIDE社製ACM91の例）

写真の左側が洗濯ばさみのように開くので，ここにスピーカーケーブルの±の片方だけを通すと電流が測れる。±両方の線を通してはいけないので注意。

この計測器は電流が作る微弱な磁場を計測しているので，計測中に動くと地磁気の影響で精度が下がってしまう。計測中は手ではもたず，電流計が動かないようにしっかり固定することが大切だ。なお，ハサミの中をケーブルが通過する方向や位置は，原理的に計測精度に影響がないので気にしなくてよい。

計測のための音声信号は，音楽ではなく一定の信号音がよい。出力が知りたい周波数の音を，4.9節に出てきた発振器かテスト用CD等の音で入れる。大音量を連続で出すのはスピーカーを壊す危険もあるので，ボリュームをいつも聞く位置より-20 dB下げて，出てきた電流と電圧をともに10倍にすれば，いつもの音量での出力に換算できる。式（2）のとおり，電流と電圧をともに10倍にすると，パワーとしては100倍の数字になる。

参考文献

1) 中島平太郎，小川博司：図解コンパクトディスク読本，オーム社（1996）
2) 小泉宣夫：基礎 音響・オーディオ学，コロナ社（2005）
3) 河合一：デジタル・オーディオの基本と応用―アマチュアからプロまで21世紀のデジタル・オーディオ技術を網羅，誠文堂新光社（2011）
4) 大橋力：音と文明―音の環境学ことはじめ―，岩波書店（2003）
5) 石村園子：やさしく学べるラプラス変換・フーリエ解析 増補版，共立出版（2010）
6) 増田清，早瀬徹，佐藤昭治：1ビットオーディオ，シャープ技報，77（2000.8），http://www.sharp.co.jp/corporate/rd/journal-77/pdf/77-14.pdf（2018年8月現在）
7) 大藤武：ケーブルを変える前に知りたい50のオーディオテクニック，秀和システム（2015）
8) 石井伸一郎，高橋賢一：改訂増補 リスニングルームの音響学，誠文堂新光社（2014）
9) 例えば：Room EQ Wizard（REW）
http://www.roomeqwizard.com/（2018年8月現在）
REWソフトの応用事例として，新井悠一：miniDSP2x4とREWソフトによる室内音場の調整（1）〜（3），無線と実験（MJ），2015年5月号〜7月号，誠文堂新光社
10) 前川純一，森本政之，阪上公博：建築・環境音響，共立出版（1990）
11) 岡野邦彦：CCDカメラによる天体撮影テクニック，誠文堂新光社（2002）
12) 岡野邦彦：フィルムにおける画像工学のディジタル画像への適用〜冷却CCDによる天体撮像での応用例〜，映像情報メディア学会誌，Vol.57，No.2，pp.203-209（2003）
13) 西村正治，宇佐川毅，伊勢史郎：アクティブノイズコントロール，コロナ社（2008）
14) 柿崎景二：デジタルオーディオの全知識（増補新版），p.121，白夜書房（2014）
15) 日本経済新聞 2023年3月11日
https://www.nikkei.com/article/DGXZQOGN10DGX0Q3A310C2000000/

あとがき

　英語で「音響学」にあたる単語は「acoustics」で，「audio」は「再生機器」や「音声信号」という意味になります。これからもわかるように，音響学とオーディオはかなり違うものです。しかし，関係は深いので，その橋渡しになるような解説を書いてみようと思いつつ執筆したのが本書でした。

　筆者の専門分野は環境エネルギー学とプラズマ理工学で，環境騒音制御として音に関係した研究もしていますが，音響学の専門家ではありません。だから，本書の内容は，音響学ではなく，オーディオユーザーのための解説書に徹したつもりでいます。その目標をどこまで実現できたかは，読者に評価をお願いするしかありませんが，効率的で科学的なオーディオ道の探求に，多少でも役に立ったと思っていただいたなら，筆者としてこれほど嬉しいことはありません。

　なお，本書の内容には間違いがないよう，細心の注意を払いましたが，万が一，誤った記述があったなら，その責はすべて筆者にあります。

索引

あ
アースループ　　　　　　　6, 14
アナログ式発振器　　　　　　95
アンバランスアンプ　　　　　118
アンバランスケーブル
　　　　　　　　　　　114, 117

い
一点接地　　　　　　　　　　6
インダクタンス　　　　　　111
インターリーブ　　　　　　　45
インピーダンス　　　　　　111
インピーダンス変換
　トランス　　　　　　　　121
インピーダンスマッチング
　　　　　　　　　　　　　112

え，お
エラー訂正　　　　　　　　　24
エラー訂正機能　　　　　　　40
エラー訂正符号　　　　　　　25
エンコード　　　　　　　　　45
オフセット角　　　　　135, 136

か
可聴帯域　　　　　　　　26, 34

き
基本周波数　　　　　　　　　66

く
グラフィックイコライザー
　　　　　　　　　　63, 71, 87
クロストーク　　　　10, 142, 145

こ
コピーガード　　　　　　　　40
コモンモードノイズ　　　　116
コンダクタンス　　　　　　111
コンパクトディスク　　　　　22

さ
最低共振周波数　　　　　66, 76
サンプリング点数　　　　　　38
サンプリングレート　　　　　24

し
ジッター　　　　　　　　　　9
集中電源ボックス　　　　　　17
出力インピーダンス　　112, 120
冗長度　　　　　　　　　　　48
常用対数　　　　　　　　　　98
信号線アース　　　　　　　　13

す
スクランブル　　　　　　　　45
スピーカーの感度　　　　　　99

せ
石英ファイバー　　　　　　124
接地端子　　　　　　　　　1, 2

た
ダイナミックイコライザー
　　　　　　　　　89, 101, 105
ダイナミックレンジ　　　　101
楕円針　　　　　　　　132, 140
多点接地　　　　　　　　　　8
ターミネーター　　　　122, 130
単相2線式　　　　　　　　　18
単相3線式　　　　　　　　　18

ち
ダンピングファクター　　　120

ち
中心周波数　　　　　　　　　89
中性線　　　　　　　　　　　19
直流抵抗　　　　　　　　　111

て
定在波　　　　　　　64, 76, 95
デコード　　　　　　　　　　45
デジタルイコライザー　　　　92
デジタル式発振器　　　　　　95
デジタルフォーマット　　　　24
デジタル録音　　　　　　　　26
デシベル　　　　　　　　　　97
デルタシグマ変調　　　　　　55
電源極性　　　　　　　　　　16

と
特性インピーダンス　　　　111
トラッキングエラー角
　　　　　　　　　　　135, 137
トーンスイープ方式　　　　　84

な
ナイキストのサンプリング
　定理　　　　　　　　　　　26

に
入力インピーダンス　120, 112

の
ノイズシェーピング　　　　　58

は
ハイパーソニック
　エフェクト　　　　　　　　36

索　引　157

は

ハイレゾオーディオ	22
パスカル	99
バーストエラー	50, 51
バスレフポート	80, 82
パラメトリック	
イコライザー	87, 89
バランスアンプ	118
バランスケーブル	114, 117
パリティー	127
バリディティー	127
半値幅	89
バンドパスフィルター	79

ひ

光ケーブル	9
光端子	120
光デジタルケーブル	9, 123
ビット	44
ビット数	24
ビットストリーム	55
ピュアリード	41
ピンクノイズ	84, 128

ふ

ファラド	111
フォノイコライザー	131
符　号	44
符号同士の最小距離	48
浮動小数点	65
フレーム	44

へ

ヘッドマージン	100
ヘンリー	111

ほ

補　間	40, 42
ホワイトノイズ	84

ま

マルチビット型 DSD	35
丸　針	132, 140

よ

横長配置	83

ら

ラインコンタクト針	
	133, 140, 147
ラウドネスコントロール	90
ラテラルバランス	135

り

リアルタイムアナライザー	
	128
リアルタイムスペクトラム	
分析	84
離散数	25
リッピング	40
リード・ソロモン符号	41
リニア PCM	25
リミッター	104

れ

レーザートリミング	36

ろ

ローパスフィルター	28, 34

A～C

A/D コンバーター	26, 94
AES/EBU	120, 126
BNC ケーブル	114
BNC 端子	121, 123
CD	22

D

DAT	25
DAW	62
D/A コンバーター	27, 94
dB	97
DEQ	92
DSD	25, 55, 60
DYN	89, 105

F, G

FPGA	33

GEQ	63, 71, 87, 97

P

PCM	25, 60
PEQ	87, 89, 97
PSE 法	15
PureRead	41

R

RCA/XLR 変換アダプター	111
RCA ケーブル	114
RCA 端子	111, 120
Real Time Analyzer	85
RTA	85, 85, 100, 128

S, T

SACD	25
S/PDIF	120, 126
Stndwave2	69

ST 規格	125
TOS	120, 123

X

XLR ケーブル	114
XLR 端子	111

数字

2P 電源プラグ	2, 11
3P 電源プラグ	2, 11
3 相交流電源	18

ギリシャ文字

$\Delta\Sigma$ 変調	55

―― 著者略歴 ――

1984年東京大学大学院工学系研究科博士後期課程修了(原子力工学専攻),工学博士。株式会社東芝,電力中央研究所を経て,2013年慶應義塾大学特任教授,2017年慶應義塾大学理工学部機械工学科教授。2019年同大教授を退職。現在,株式会社ODAC取締役。

中学生時代からオーディオを愛好し,デジタル録音,CD,SACD,ハイレゾの登場を体験してきた。同じく中学生時代にはじめた天体写真では,本書のなかでも少し触れているデジタル現像や,露出時間を大幅に短縮できるLRGB合成カラー撮影法を開発した天体写真家としても知られている。

おもな著作に,「デジタル・アイ―冷却CCDでとらえた深宇宙」地人書館(1998),「冷却CCDカメラによる天体撮影テクニック」誠文堂新光社(2002),「プラズマエネルギーのすべて(共著)」日本実業出版社(2007),「天文年鑑(冷却CCD・デジタル一眼レフの項を執筆)」誠文堂新光社(2008年版以後),「冷却CCDカメラ・テクニック講座」誠文堂新光社(2009),「人類の未来を変える核融合エネルギー(共著)」シーアンドアール研究所(2016),などがある。

その常識は本当か これだけは知っておきたい
実用オーディオ学(増補)
―アース,CDとハイレゾ,室内音響,ケーブル,アナログレコード,計測―
Is the common wisdom correct? Truth what you must know
Audio Science for Practical Use (Enlarged Edition)　　Ⓒ Kunihiko Okano 2019, 2024

2019年1月25日　初版第1刷発行
2024年8月20日　初版第4刷発行(増補)

検印省略	著　者	岡野　邦彦（おかの　くにひこ）
	発行者	株式会社　コロナ社
		代表者　牛来真也
	印刷所	壮光舎印刷株式会社
	製本所	株式会社　グリーン

112-0011　東京都文京区千石 4-46-10
発行所　株式会社　コロナ社
CORONA PUBLISHING CO., LTD.
Tokyo Japan
振替00140-8-14844・電話(03)3941-3131(代)
ホームページ　https://www.coronasha.co.jp

ISBN 978-4-339-00994-1　C3054　Printed in Japan　　　　(新宅)

〈出版者著作権管理機構 委託出版物〉
本書の無断複製は著作権法上での例外を除き禁じられています。複製される場合は,そのつど事前に,出版者著作権管理機構(電話03-5244-5088,FAX 03-5244-5089,e-mail: info@jcopy.or.jp)の許諾を得てください。

本書のコピー,スキャン,デジタル化等の無断複製・転載は著作権法上での例外を除き禁じられています。購入者以外の第三者による本書の電子データ化及び電子書籍化は,いかなる場合も認めていません。
落丁・乱丁はお取替えいたします。